稲盛と永守

京都発 カリスマ経営の本質

NAWA TAKASHI
名和高司
一橋大学ビジネススクール
国際企業戦略専攻
客員教授

日本経済新聞出版

稲盛と永守

京都発カリスマ経営の本質

はじめに

「現代日本を代表する経営者は?」と聞かれれば、誰を思い浮かべるだろうか?

おそらく真っ先に挙がるのが、稲盛和夫だろう。京セラをゼロから立ち上げ、KDDIを超優良企業に育て上げ、日本航空(JAL)を破綻から救った経営手腕は、世界遺産級である。事実、稲盛の経営哲学は、中国をはじめ、世界中に信奉者が広がっている。かつての松下幸之助と同様、「経営の神様」の名をほしいままにしている。

では、その次に挙がるのは誰か? 日本電産の永守重信、ファーストリテイリングの柳井正、そしてソフトバンクグループの孫正義の3人の名前が挙がりそうだ。10X(1ケタアップ)の非連続成長を実践してきた経営者たちである。

もっとも、孫正義は経営者というより稀代の投資家と呼ぶべきかもしれない。だとすれば、永守と柳井が有力候補として並ぶだろう。どちらも世の中の常識に妥協しないため、日本では変人扱いされることが多い。しかし、業績成長率とサステナビリティを判断基準とする『ハーバード・ビジネス・レビュー』の世界CEO(最高経営責任者)トップ100において、毎年リストアップされ続ける数少ない日本人経営者である。

本書では、このうち稲盛和夫と永守重信を取り上げる。二人とも、京都をホームベースとしつつグローバルに活躍していること、B2B企業として世界トップシェア事業を数多くもっていること、未来創造に向けて自社にとどまらず幅広く種まきをしてきたことなど、数々の共通点があるからだ。

たとえば、二人とも思いを「言語化」するパワーが抜群だ。しかも、単に教科書的にまとめるのではなく、自分ならではの言葉で生き生きと表現することに長けている。だから人の心を揺さぶるのである。これは、松下幸之助、スティーブ・ジョブズ、柳井正など、古今東西を問わず、名経営者に共通の才能でもあろう。

稲盛と永守はこの言語化力を、独自の経営哲学と経営手法に結実させている。稲盛の場合は「フィロソフィ」と「アメーバ経営」。永守の場合は「3大精神」と「3大経営手法」。それぞれの内容については、後の章で詳しく言及することにしたい。

ただ、それらの中身をよく知れば知るほど、両者の経営モデルの本質がぴたりと重なり合うことに驚かされる。そこで本書では、両者の経営モデルを「盛守経営」と呼ぶことにする。

盛守経営には、以下の3つの共通点がある。

第一に、「志（パーパス）」から出発していること。稲盛はこれを大義と呼び、永守は夢（ドリーム）と呼ぶ。このような志にもとづく経営を、筆者は「志本経営（パーパシズム）」と呼んでいる。

第二に、30年先、50年先といった長期目標を立てるとともに、短期的に結果を出すことにこだわり続けること。筆者はこれを「遠近複眼経営」と呼んでいる。

第三に、人の心に火をつけること。稲盛は能力を未来進行形でとらえよと語り、永守はＩＱよりＥＱが大切と説く。そして二人が異口同音に強調するのが「情熱・熱意・執念」のパワーだ。筆者はこれを「学習優位の経営」と呼んでいる。

これら3要素から構成される経営モデルを、本書では「ＭＯＲＩ」モデルとして論じる。ＭはMindful（志を大切にする）、ＯとＲはObjective-driven & Results-oriented（目標と結果にこだわる）、ＩはInspire!（人を動かす）の略だ。

盛守経営は、コロナ後の新たな世界を拓く経営でもある。

今、世の中ではＳＤＧｓ旋風が吹き荒れている。持続可能な社会に向けた国連お墨付きのアジェンダであり、中身は結構な言葉が並んでいる。しかし、それは所詮、２０３０年に向けたゴールにすぎない。しかも、丸腰で取り組めばコストと投資がかかり、企業の利益を蝕む。それでは、コロナ禍で打撃を受けた自社の持続可能性が危うくなってしまう。

そこで筆者は、２０５０年に向けた「新ＳＤＧｓ」を提唱している。

Ｓはサステナビリティだ。ただし、今のＳＤＧｓに示された17枚のカードの先、すなわち18枚目のカードを各企業ならではの思いを込めて掲げることが求められる。

Ｄはデジタルだ。昨今、デジタル・トランスフォーメーション（ＤＸ）が一大ブームとなっている。しかしデジタルは、今やどこにでもあるツールにすぎない。重要なのはＸ（トランスフォーメーション）、すなわちデジタルを使って経営をいかに変革（トランスフォーム）するかにある。

Ｇはグローバルズだ。コロナ禍や米中摩擦などで世界は分断されつつある。しかし地球全体の持続的な成長のためには、これら多極化された世界を再結合していかなければならない。

この「新ＳＤＧｓ」の切り口で見たときに、盛守経営はきわめて先進的なモデルである。京セラも日本電産も、創業以来、グリーン革命やデジタル革命の最前線に立ってきた。また世界規模で「なくてはならない」存在となっており、なかんずく中国を１つの極として世界につなぐ重要な役割を担っている。

そして「新ＳＤＧｓ」の心臓部に位置するのが「志（パーパス）」だ。それは、まさに盛守経営の原点でもある。盛守経営は21世紀型経営のあるべき姿を示しているといえよう。

本書は、大きく2部構成となっている。

第I部では、稲盛と永守のリーダーとしての横顔に焦点を当てる。二人のキャリアやリーダーシップスタイルの特徴、なかんずく、それらの共通点をあぶりだす。

第II部では、稲盛経営と永守経営の本質に迫る。そして両者の共通点を前述したMORIモデルに沿って検証する。終章では、この盛守経営が目指す未来の姿を、「新SDGs」というフレームワークに沿って論じる。

なお、本書の登場人物は、筆者が尊敬してやまない方々ばかりだが、紙面の都合上、敬称を略させていただくことをご容赦いただきたい。

コロナ後の世界は、持続可能な社会に向けた新たなパラダイムを求めている。稲盛の「利他の心」、永守の「人を動かす経営」は、そのような未来を拓く経営モデルの有力な手掛かりとなるのではないだろうか。

稲盛と永守が示す「志本経営（パーパシズム）」の本質を、世界に高らかに示すことができれば、新常態（ニューノーマル）の扉を日本企業が自らの手で開くことができるはずだ。一人でも多くの日本人がそのような可能性に気づき、高い志を掲げ、実践し、世界に発信していかれることを、心から期待したい。

2021年7月　京都・嵐山にて

名和高司

目次

第Ⅱ部 「盛守」経営の解明

第6章 「盛守」モデルの共通点

第7章 大義と大志 Mindfulness

第8章 経営の押さえどころ Objective-driven, Results-oriented

第Ⅰ部

二人のリーダー

第1章 リーダーの条件

京都発世界企業

京都は、日本の古都、そして神社仏閣の町として世界に名高い。コロナ渦中の2020年秋、アメリカの大手旅行雑誌『コンデナスト・トラベラー』の読者アンケートで、「世界で最も魅力的な大都市ランキング」で京都がトップに選ばれた。

しかし、京都が日本を代表する企業を輩出していることはあまり知られていないかもしれない。京都生まれの世界企業といえば、京セラ、日本電産、村田製作所、任天堂、オムロン、ローム、島津製作所、堀場製作所、ワコールなどの名前が挙がる。

中京地区が自動車メーカーを中心とした巨大な城下町として粛々と発展してきたのに対して、京都ではそれぞれの企業が、思い思いの姿で咲き誇っている。なぜだろうか?

堀場製作所の堀場厚会長兼グループＣＥＯの著書『京都の企業はなぜ独創的で業績がいいのか』（講談社、２０１１年）が、大変参考になる。京都企業の独自性は、室町時代から続く職人文化の４つの特徴に根差しているというのである。

①人のマネをしない
②目に見えないものを重視する
③事業を一代で終わらせず、受け継いでいくという考え方
④循環とバランスという考え方

さすがに、「棲み分け理論」で有名な京都学派の生態学者、今西錦司を生んだ土地柄である。日本が「失われた30年」をさまよっている間、前述の京都企業らは、それぞれ独自の成長と進化を続けてきた。アメリカ型資本主義の弊害から距離をおき、持続的な成長を実現してきた良質な京都企業は、我々が目指すべき次世代の経営のあり方を示している。

京都企業を売上高でみると、２０２０年末時点で、日本電産、京セラ、村田製作所の３社がトップ３だ。いずれも年間売上高は２兆円に迫る。これらの３社は「京都御三家」と呼ばれている。

ちなみに、京都の「のっぽビル」ランキングでも、この3社の本社ビルがダントツのトップ3である。歴史的景観を保護する理由で京都では建物の高さ規制があるなかで、南部の工場地区に位置している3社は例外となった。

いずれもB2B企業なので、任天堂やワコールに比べると、一般には知名度が高いほうではないかもしれない。しかし、アップルやサムスン電子などの世界に冠たるハイテク企業の間では、最もよく知られた日本企業である。

なかでも京セラと日本電産は、企業もさることながら、その創業者の言動が世界から注目されてきた。稲盛和夫と永守重信。京都のみならず、現代日本を代表する経営者だ。そして、本書の二人の主人公でもある。

不易を見据える——二人の共通点

稲盛和夫については、今さら紹介の必要はあるまい。京セラ、そして第二電電（KDDIの前身企業の1つ）の創業者でもあり、かつJALの再生劇をリードした伝説の経営者だ。さらには、これらの企業との関係を超えて、その経営哲学や人生哲学は広く知れ渡っている。

ベストセラー『生き方』（サンマーク出版、2004年）や『働き方』（三笠書房、2009年）、『心。』（サンマーク出版、2019年）などをはじめとする著書はこれまでに42冊、共著も含めると60冊に上る。また、1983年には、稲盛を慕う中堅・中小企業の若手経営者が集まって、盛和塾という自主勉強道場を発足。2019年末に解散したときには、世界中で100塾を超え、塾生は1万5000名にまで達していた。まさに平成の「経営の神様」という名にふさわしい。

その思想は、海外、特に中国で多くの人たちの心をとらえている。中国語に訳された書籍は、2020年末に累計発行部数が2000万部を突破。中国の盛和塾は37カ所、塾生は7000名を数え、解散宣言が出された後も、活動を続けている。アリババグループの創業者ジャック・マーや華為技術（ファーウェイ）の任正非CEOなどの大物経営者も、稲盛に心酔しているという。松下幸之助とともに、中国の経営者が最も尊敬する日本人なのだ。

一方の永守重信は、現代のカリスマ経営者の名をほしいままにしている。1973年に創業した日本電産は、過去50年間で、最も成長した日本企業である。圧巻は、60を超える国内外のM&Aをすべて成功させたことだ。なかでも「死に体」だった企業を、人員整理を一切せずに1年で再生させる手腕は、「永守マジック」と呼ばれている。

創業直後のオイルショック、バブル崩壊、リーマンショック、タイの大洪水や東日本大震災、そして今回のコロナ禍など、危機に直面するたびに、非連続な成長を遂げている。その度重なる大変貌ぶりは、まるで永守が自ら好んで口にする「脱皮しないヘビは死ぬ」というニーチェの言葉に、突き動かされているかのようだ。

永守も、『「人を動かす人」になれ！』（三笠書房、１９９８年）や『情熱・熱意・執念の経営』（ＰＨＰ研究所、２００５年）などのベストセラーを著している。また世界経営者会議をはじめ、さまざまな場で「永守節」を唱えている。「一番以外はビリ」「死ぬ気でやれ」などといった超スパルタ発言で誤解されることも少なくないが、それゆえに、時流に流されない本音トークが企業人の胸に刺さる。

稲盛と永守には、多くの共通点がある。その1つが、それぞれ、確固たる哲学を貫き通している点である。しかもそれは経営論を超え、人生論にまで根をおろしている。その神髄は、本書のなかで、じっくり説き起こしてみたい。

二人のすごさは、その独自の哲学を、社員のみならず、社会に対して広く発信している点である。人々の心をわしづかみにするその伝播力は、哲学を超えて、宗教とも呼ぶべきパワーを放っている。

稲盛は、「自分を信じてくれる者が増えてくると、儲けも多くなってくる」と語っている（『心を高める、経営を伸ばす』ＰＨＰ文庫、１９９６年）。「儲」という字は、「信じる者」と書く。社員が信者となり、顧客が信者となり、社会に信者が広がれば、儲けにつながる。まさに、京都の隣国・近江商人の「三方よし」につながる商いの鉄則でもある。

欧米流の経営モデルや流行の経営手法に飛びつく経営者が、少なくない。少し前だと、DXやガバナンス改革。最近では、両利きの経営やグリーン革命。外来種のバズワードの波が、パンデミック（世界的大流行）のように世の中を席捲している。この「グローバルスタンダード」病こそが、過去30年間、日本企業を骨抜きにしてきたのである。詳細は、拙著『経営改革大全――企業を壊す100の誤解』（日本経済新聞出版、2020年）を参照いただきたい。

しかし、稲盛や永守は、このような浮ついた風潮には一切流されない。「不易流行」でいうところの「不易」をしっかり見据えているからである。さらには「流行」の底流にある本質を、ずっと以前からしっかりつかみ、実践しているからである。

このゆるぎない信念にもとづく経営こそ、稲盛流、そして永守流の強さの本質である。

底流に流れる仏の教え

宗教といえば、京都はまさに日本的宗教の聖地である。この二人の経営の「教祖」が京都から生まれたことも、偶然の一致ではあるまい。

稲盛は、仏門に入ったことでも有名だ。1997年に、京都の圓福寺（臨済宗妙心寺派）で得度している。臨済宗といえば5大禅宗の1つで、座禅を最も重視する。盛和塾でも早朝座禅があちらこちらで開催されてきた。

稲盛と宗教との関係は長い。稲盛自身、半生を振り返るなかで、いくつかのエピソードを披露している。

稲盛の生家は代々、浄土真宗の本願寺派だった。鹿児島で過ごした子どものころ、父に連れられて地元の「隠れ念仏」に通い、念仏に親しんでいた。「なんまん、なんまん、ありがとう」という感謝の言葉は、今日でもなお、稲盛の口をつくという。

2つ目は、少年時代に結核に侵されて、病床に伏していたころのこと。たまたま手にした「生長の家」の聖典『生命の實相』のなかの「われわれの心の内に、苦難を引き寄せる磁石がある」というくだりを読み、衝撃を受けたという。

3つ目は、京セラ創業時に世話になった宮木電機製作所の西枝一江（当時・常務）から、西片擔雪（たんせつ）老師を紹介されたこと。それ以来、経営上の難問に直面するたびに、同老師のもとを訪れた。その際には決まって、禅問答のような教えを受け、立ち直ることができたという。前述のように、65歳になった稲盛は臨済宗妙心寺派圓福寺で得度するが、そこは擔雪老師が官長をしていたところでもある。

稲盛哲学の底流には、さまざまな仏の教えが存在している。稲盛自身、自著『生き方』のなかで、その原点は、釈迦が悟りを開くための菩薩道として説いた「六波羅蜜」だと語っている。六波羅蜜とは、①布施、②自戒、③精進、④忍辱、⑤禅定、⑥知恵の6つの修行を指す。

このうち、日常で最も実践しやすい基本要件が、③の精進だという。努力を惜しまず、一生懸命働くこと。そこから「勤勉の誇りを取り戻そう」という労働観が生まれる。昨今の「働き方改革」の迷走ぶりとは、真っ向から対立する哲学である。この点は後の章で、さらに深掘りすることとしたい。

これら6つのなかで、稲盛哲学の根幹となる教えは、①の布施である。他人への施し、すなわち利他行を指す。『生き方』のなかで、稲盛は次のように説く。

「よい経営を続けていくためには、心の底流に『世のため、人のため』という思いやりの気持ちがなくてはいけない」

「人にもよかれという『大欲』をもって公益を図ること。その利他の精神がめぐりめぐって自分にも利をもたらし、またその利を大きく広げもするのです」

50歳を過ぎて、第二電電を旗揚げした際にも、「動機善なりや、私心なかりしか」と自ら問い続けたというエピソードは有名だ。「国民のために長距離電話料金を安くする」という大義が、稲盛の背中を押したという。

また80歳間近になって、当時の鳩山由紀夫首相から直々にJAL再生を依頼された際にも、大いに悩んだという。自問自答の末、①二次破綻による日本経済全体への悪影響を食い止める、②残された社員の雇用を守る、③正しい競争環境を維持して国民の利便性を確保する、という

3つの大義を見出してからは、一切迷うことがなかった。無給で3年間の激務をこなし、見事にJALをよみがえらせた行動は、まさに利他行そのものである。

念仏100回

一方の永守も宗教との関係が深いが、こちらはあまり知られていない。いくつかのエピソードを紹介しよう。

永守は毎月必ず、京都・八瀬にある九頭竜大社に参拝する。同大社の神主の言葉やおみくじを信じて、窮地を救われた経験が何度もあったという。永守は、ブログのなかで、次のように語っている。

「九頭竜大社では願い事を唱えながら、本殿の周りを9周するのがしきたりだ。だが、私は『日本電産の業績を良くしてほしい』といったお願い事は一切しない。神前に立ち、心を静め、ただその時々の決意を述べることにしている。経営者の大敵は、驕りや慢心。周囲から指摘してもらうのではなく、自らを律し、戒めるしかない。月一度早朝からの参拝は、神様が必ず見ているとと心得る大事な時間だ」

永守が座右の書としているのが、中村天風『成功の実現』（日本経営合理化協会出版局、1988年）である。中村天風は、インドでのヨガ修行を通じて悟りを開いた後、天風会を創始し心身統一法を広めた思想家だ。一般にはあまり知られていないが、政治家やスポーツ界にも信奉者が多い。実業界では、松下幸之助、そして本書のもう一人の主人公である稲盛和夫も心酔者である。

永守は、知人の公認会計士からもらった前書を、経営の聖典として熟読してきたという。『日本経済新聞』の「リーダーの本棚」のコーナーで、永守はこう語っている（2011年10月30日付朝刊）。

「天風さんはギブアップしたらあかん、すべては気持ち次第だということを確認させてくれるわけです。この心の姿勢がすべてのベースとなります」

永守には「念仏1000回」というエピソードがあり、それも興味深い。稲盛同様、永守も創業期には、顧客開拓しようとすると、「モーターの厚みが半分で同じ力を出すなら、全量注文する」といった無理難題を突き付けられることが多かった。しかし、自社の技術者は「そんなもの、できません」と初めから腰が引けている。そこで「いまから『できる、できる』と1000回言うから、お前らも一緒に言え」と指示したという。

「1000回ほどまで唱えたら、『あっ、社長、何かできる気分になってきました』との声が出た。画期的なことをやるというのは、そういうことなのだ、と思った」（「プレジデントオンライン」2008年12月29日）

念仏のように唱え続けて、自己暗示にかけていく。これが永守流「情熱・熱意・執念の経営」の極意である。

念仏を唱えることで、誰でも往生できると説いたのは、浄土宗の教祖・法然である。その弟子である親鸞は、さらにこれを発展させて「阿弥陀仏の救いを信じるだけで、善人はもちろん悪人も往生できる」と主張。自ら妻帯することで、修行僧ならずとも、在野の一般人が念仏によって救われると説いた。そのきわめて実際的かつ合理的な教えは、永守流に通じるものがある。

日本電産の幹部養成コースである「グローバル経営大学校」では、必ず1日、禅の教えを学ぶプログラムが組み込まれている。場所は、妙心寺退蔵院。そう、稲盛が得度したあの圓福寺と同じ妙心寺派の寺院だ。そこで座禅を体験するとともに、松山大耕禅師から英語で禅の教えを授かる。

松山禅師は東京大学大学院農学生命科学研究科を修了後、禅の修行生活を経て、若くして退蔵院の副住職に就いている。その傍ら、観光庁のVisit Japan大使、京都市の京都観光おもてなし大使などを歴任し、世界経済フォーラム年次総会（ダボス会議）に出席するなど、世界に日本の思想や文化を発信し続けている。永守と同様に世界をまたにかけて活躍している宗教家である。

21世紀に入って、世界では「マインドフルネス」が、新しい潮流となって静かに広がっている。瞑想を通じて「今」に集中することにより、「とらわれた心」を解き放ち、創造性を高めることを目指す。

そのマインドフルネスの中心地が京都である。インドで生まれた禅が、中国を経て日本で洗練され、完成されていったからだ。世界中の経営者が、京都訪問を楽しみにし、忙しい予定の合間を縫って、禅寺を訪れる。京都のマインドフルネス文化は、日本の経営者が意外に知らない日本の世界遺産なのである。

稲盛流や永守流は、マインドフルネス同様、京都に深く根を下ろしながら、世界に静かに広がり始めている。京都、そしてその京都を起点とする二人の経営者は、資本主義の未来が問われるなかで、ますます世界から注目されることだろう。

研究から実学へ

京都は学問の都でもある。なかでも京都大学は、旧制第三高等学校（三高）時代から自由闊達な校風で知られている。科学の世界では、古くは湯川秀樹や朝永振一郎、今世紀に入っても、山中伸弥や本庶佑といったノーベル賞受賞者を、数多く輩出している。

哲学の世界でも、西田幾多郎をはじめとして、田邊元（はじめ）、和辻哲郎など、個性豊かな哲学者を生み出した。「京都学派」と呼ばれる彼らは、西洋哲学を受け入れつつも、それを東洋、そして日本古来の哲学と融合させていく道を模索した。

この京都で、稲盛は私財200億円を投じて、「京都賞」を創設した。1984年のことである。これまでに8名の受賞者が後にノーベル賞を受賞しているため、「ノーベル賞の先行指標」とも呼ばれている。先述した本庶佑や山中伸弥なども含まれる。

対象となるのは「先端技術部門」「基礎科学部門」「思想・芸術部門」の3部門。3つ目に「思想、芸術」を加えている点が、ノーベル賞と大きく異なる点である。そこには、「科学や文明の発展と人類の精神的深化のバランスをとりながら、未来の進歩に貢献したい」という稲盛の強い思いが込められている。たとえば、哲学者では米カール・ポパー、仏ポール・リクール、独ユルゲン・ハーバマスなど、日本人では、黒澤明、安藤忠雄、三宅一生、坂東玉三郎らが受賞している。

稲盛哲学をひもとくうえで、梅原猛との対談集『完本・哲学への回帰』（PHP研究所、2020年）がきわめて示唆に富んでいる。梅原は「新京都派」の思想家の一人に数えられるが、なかでも異端中の異端児である。その言動にはさすがの京都大学も手を焼き、母校に迎えられることはなかった。ものつくり大学総長、京都市立芸術大学学長や国際日本文化研究センター所長を歴任し、「梅原日本学」と呼ばれる独自の思想を提唱した。

この対談集のなかでも、梅原は稲盛と自分を「知的バーバリアン」と呼んでいる。その二人は、欲望によって支配されている現代文明に警鐘を鳴らす。そして、「森の宗教」（共生観）と「利他の精神」（仏教観）を主軸とした「心の教育」の必要性を説く。

梅原は稲盛に、自ら大学をつくってはどうか、とも問いかける。

「哲学をもった人が新しい学校を開くことは、日本にとっても世界にとっても大きな意義があると思います」（同前）

京大超え

永守も、「象牙の塔」のなかでの思弁的研究には興味を示さない。その一方で、研究成果を現実に応用する実学には、徹底的にこだわる。たとえば永守が理事長を務める永守財団は、モーター、発電機やアクチュエーターなどの周辺分野を含めた技術を表彰する永守賞を運営している。

圧巻は、私財１００億円以上を投じて設立した京都先端科学大学（ＫＵＡＳ）だ。50年の歴史をもつ京都学園大学の経営に参画して、まったく新しい大学に「脱皮」させ、２０１９年からスタートさせた。Ｍ＆Ａ、そして変革のプロとして、いよいよ学校教育にも乗り出したのだ。

梅原の願いは、奇しくも実践哲学の旗手である永守によって、実現されたのである。

2020年には工学部を新設。2022年にはビジネススクールも立ち上げる計画だ。「世界の大学ランキングで2025年には関関同立（関西学院大学、関西大学、同志社大学、立命館大学）を、その後京大を抜きたいと思っているんです。さらには米ハーバード大や英ケンブリッジ大も超えるつもりですよ」と永守は豪語する（『日経ビジネス』2020年11月10日号）。

「そこにいる人間の意識が一流でなければ、一流大学にはなれない」と永守は語る。そこで、まず学長に、東京大学理事・副学長や日本電産生産技術研究所所長を歴任した前田正史教授を、そして経済経営学部長には京都大学副学長だった徳賀芳弘教授を、工学部学部長には同じく京都大学の田畑修教授を招聘。工学部の教員は世界から募集し、21人の教員のうち3分の1は海外出身者で構成されている。授業は英語。学生は入学当初から徹底的に実践英語を叩き込まれる。

永守は教育を自らが果たすべき最大の役割の1つととらえている。そして今の日本の大学は「教」はしているつもりになっていても、「育」はまったく実践できていないと指摘する。一流大学卒業の人財が、経営や事業の現場では役に立たないことを痛感させられたからだ。そこで経営のプロである自分が理事長となって、実践教育の世界的機関を京都に立ち上げようと決意したのである。

一方で、実践に資する研究にも注力している。学内に「ナガモリアクチュエータ研究所」を設立し、ロボティクス、材料科学、ナノ工学などの世界最先端のテクノロジーの研究をスタートした。その理由を、「ノーベル賞レベルの研究が行われている大学には、必ず優秀な学生、先生たちが集まってくるからです」（『プレジデント』２０２０年4月17日）と語る。

学問の都・京都が、実学の都としても世界から熱い視線を集め始めている。

老化なき社会

京都発の実学の最先端といえば、ｉＰＳ細胞の研究である。京都大学の山中伸弥教授は、２０１２年にノーベル賞を受賞。先述した京都賞を受賞した2年後のことだ。同教授が率いる京都大学のｉＰＳ細胞研究所は、まさにこの分野における世界の中心地となっている。

山中が臨床医としてキャリアをスタートしていたことは、意外に知られていない。研究者に転向した後も、ｉＰＳ細胞を臨床の実践に応用して人々の命を救い、健康を促進することを最大の目標としてきた。

その山中が、ノーベル賞受賞から2年後、京都賞30周年記念対談を行っている。相手は稲盛和夫である。対談集『賢く生きるより　辛抱強いバカになれ』（朝日新聞出版、２０１４年）のなかで、二人はお互いの半生や哲学を語り合う。経営と医学――異質な世界でありながら、本質を極める姿勢は、見事に同期している。

たとえば山中は、自らの座右の銘は「ＶＷ」だという。「ビジョン＆ワークハード」――アメリカ留学時代に恩師から学んだ言葉である。

「目的を明確にして一生懸命に努力する。シンプルですが実現するのは難しい」と山中は語る。「当時の私もワークハードでは誰にも負けない自信がありましたし、目の前の目標も見えていましたが、気がつくと長期的なビジョンが見えなくなっていました。それ以来この言葉を心にとめているんですが、お話を伺いながら、京セラの成功はまさに『ＶＷ』だと感じました」。

また、同対談のなかで、ｉＰＳ細胞が実用化されて寿命が延びれば、高齢化社会に歯止めがきかなくなるのではないかと稲盛が問いかける場面がある。それに対して山中は、健康寿命が延びて元気な高齢者が増えれば、60歳を超えて2サイクル目の人生設計ができるようになるのでは、と答えている。

まさに65歳で得度し、78歳でＪＡＬ再生を手掛けた稲盛は、そのような「元気な高齢者」の代表といえよう。ワークハードは、どうやら長生きの秘訣らしい。もちろん、そのためにはワークが楽しくてしかたなくなるほどの高い「思い（ビジョン）」を持ち続け必要がある。

125歳人生

「ＶＷ」経営といえば、永守の経営理念そのものでもある。常に遠くの高い頂を目指す。そして「知的ハードワーキング」で必ずそこに到達する。この不断の努力が、日本電産の指数関数的な成長の原動力だった。

その永守自身、山中からいろいろな刺激を受けている。たとえば、「iPS細胞を活用した再生医療によって、今後10年くらいで、ほとんどの病気が克服され、日本人の平均寿命が120歳くらいになるのではないか」という山中説。世界中でベストセラーになっているハーバード大学のデビッド・シンクレア教授の『LIFESPAN（ライフスパン）』（東洋経済新報社、2020年）のなかでも、「山中因子」と呼ばれるiPS細胞の3つの因子によって、老化をリセットできるという研究結果が紹介されている。

「もしそうなると、私もあと50年は生きられるかもしれない」と永守は語る。「そこで（後期高齢者入りした）2019年には、次期50年計画を作ったのだ」。

長期的なビジョンが永守経営の真骨頂だとは重々承知していたが、この話には筆者も思わず舌を巻いた。

永守は、教育と並んで医療を、これからの自らが力を入れるテーマとして掲げている。2017年には、私財約70億円を投じて、京都府立医科大学に「永守記念最先端がん治療研究センター」を設立。陽子線でがんを治療する最先端の施設だ。観光地・京都に立地する強みを活かした「医療観光」で差別化を図るという。

山田啓二京都知事（当時）らが集まった同センター竣工式で永守は次のように挨拶している。「創業してお金に困っていたとき府などの資金に助けられたし、会社が発展していく間に京都の人たちにお世話になった。京都生まれ京都育ちとして、できる限りの支援をしたい」

そして、2030年には、前述した京都先端科学大学に医学部を設立することも構想している。「アンチエイジング」社会の実現に向けて、永守の見果てぬ夢は続いていく。

新「代表的日本人」

内村鑑三の『代表的日本人』（1894年。邦訳1995年、岩波文庫）は、岡倉天心『茶の本』、新渡戸稲造『武士道』とともに、日本人と日本文化に関して英語で書かれた古典的な名著だ。西郷隆盛、上杉鷹山、二宮尊徳、中江藤樹、日蓮の5人が、日本を代表する人物として海外に広く紹介された。

同書は稲盛の愛読書の1つだという。自ら翻訳本を出版するほどの惚れ込みようである。なかでも西郷隆盛は、鹿児島出身の稲盛が最も尊敬する人物の一人だ。「西郷は義と情にあふれた、私にとって心の軸になる人です」（『稲盛和夫の哲学』ＰＨＰ研究所、2001年）と稲盛は語る。西郷の「敬天愛人」を座右の銘とし、『敬天愛人――私の経営を支えたもの』（ＰＨＰ研究所、1997年）という書籍まで出版している。

もっとも、もう一人の薩摩隼人である大久保利通も、稲盛にとっては大義を実現するうえでの師匠である。

「西郷のような情が私の中心にあるけれども、事業をやるには大久保利通の理性と冷徹さがいる」（『稲盛和夫の哲学』）

このバランス感覚こそ、稲盛哲学の神髄である。この点は本書で、徐々に明らかにしていきたい。

二宮尊徳を敬愛する経営者は少なくない。稲盛もその一人だ。稲盛は、石田梅岩と二宮尊徳を、江戸時代に日本的経営の原点をつくった人物と評している。二宮尊徳からは、特に、労働を通じて「人間の心を作る」ことの重要性を教えられたという。そしてこのような労働観を失ったことが、日本企業衰退の真因の1つだと論じる。この点についても、後の章でじっくり見ていきたい。

では、近代日本を代表する経営者は誰だろうか？

「日本資本主義の父」といえば、渋沢栄一である。もっとも、渋沢はアングロサクソン流資本主義とは一線を画した「合本主義」を目指した。今日の「公益」資本主義の源流といえよう。

昭和の日本人経営者は多士済々だった。そのなかでも、松下幸之助が筆頭に挙がることは、衆目が一致するところだろう。日本が失速していった平成において、数少ない傑出した経営者の代表が稲盛和夫であることも、まず異論はないだろう。

では、令和を代表する経営者は誰か。ＶＵＣＡ時代といわれる不確実性に満ちた令和の行方は予測困難だ。しかし、世界でも注目されている経営者といえば、永守重信、柳井正、孫正義の3人の名前が真っ先に挙がる。

ちなみに彼らは巷間、「ほら吹き三兄弟」と呼ばれることがある。常に荒唐無稽とも思える壮大な構想を掲げるからだ。一方で、それに向かったら本気で取り組み、命がけで実現させていくことでも定評がある。永守は、「ホラはデタラメやウソではない。夢を現実にするのが起業家だ」と言い放つ。

稲盛と永守。どちらも京都を本拠地としつつも、きわめて異質な経営者である。稲盛は大義を語り、永守は志を語る。稲盛は利他を説き、永守は執念を説く。見方によっては、対極の存在とすら思える二人である。

しかし、それぞれの半生をひもといていくと、実は相似形のような軌跡をたどっていることに気づかされる。そして、二人の経営哲学は、よく読み解いていくと、驚くほど共通点が多い。

第2章では、まず二人の半生を駆け足で振り返ってみたい。そして第3章では、この二人が示す経営の極意を抽出していく。そこに現代における「新・代表的日本人経営者」の姿が浮き彫りになってくるはずである。

第2章 リーダーの軌跡

母の教え

稲盛の半生は、『ガキの自叙伝』(日本経済新聞出版、2002年)に生き生きと描かれている。一方の永守の半生は、前述した自著『情熱・熱意・執念の経営』などからたどることができる。

1932年生まれの稲盛と、1944年生まれの永守。ちょうど1回り違いだ。その生い立ちは、奇妙なくらい重なり合うところが多い。家庭が貧しかったこと、ガキ大将だったこと、苦学しながら卒業したこと。

なかでも、人格形成において母親の存在が大きかったことが、最大の共通点である。

稲盛は、鹿児島市薬師町(現・城西一丁目)に7人兄弟の二男として生まれる。父畩市(けさいち)は印刷工場を経営。しかし戦争で工場を焼失して失意に沈むなか、気丈な母キミが一家を盛り立てていく。

稲盛は幼少時代、泣き虫で甘ったれ（鹿児島語で「ごてやん」）だったという。母親の着物の裾をつかんでどこでもついていく。ワンパク少年になってからは、喧嘩に負けて泣きながら家に戻ると、「正しいと思うなら、もう1回行ってこんか！」と家から追い出されたという。

稲盛は、そんな母キミから、「人間として何が正しいかを判断基準にする」という生き方を学んだ。母からよく、次のように言い聞かされたという。

「一人でいるときにも、神様、仏様が見ていると考えて行動しなさい。迷いがあるときは『見てござる 見てござる』と自分に言い聞かせなさい」（稲盛和夫『ごてやん――私を支えた母の教え』小学館、２０１５年）

先に紹介した山中伸弥との対談のなかで、稲盛は「私は82歳になりますが、じつはここ数年、毎日ふとしたことから『お母さん』と口にすることがあるのです」と語る。

「最近では、しんどいときも『お母さん』、嬉しいときも『お母さん』。（中略）ここで言う『お母さん』というのは、どうも母親というより、自然、宇宙、全知全能の神様のような存在を指しているような気がします。（中略）そのぐらい私の心の中では母親の存在が大きいポジションを占めているんでしょうね」（『賢く生きるより　辛抱強いバカになれ』）

三つ子の魂

永守は、京都府向日市で、６人兄姉弟の末っ子として生まれる。実家は農家で、中学生のときに父親を亡くし、母タミが懸命に働いて一家を支えた。「母は誰よりも早く起き、誰よりも遅くまで働いていた」と永守は述懐する。

その永守が大切にする母の教えは「絶対に楽してもうけたらあかん」だという。「日本電産の社訓（『情熱・熱意・執念』『知的ハードワーク』『すぐやる、必ずやる、できるまでやる』）も、すべてが母の教えからきている。母を抜きにしては語れない」（「東洋経済オンライン」２０１１年3月2日～４日）

京都で一番高い本社ビルの20階に社長室がある。その東側の窓から母の墓が見える。今も時々、「おまえは人の2倍働いているか」という母の声が聞こえてくるという。

「体調が優れず、早めに帰ろうとすると、また、母の声。『もう帰るのか』。今はメールという便利なものがあるから、家でも仕事ができるねん。そんな言い訳をしようものなら、とたんに『音信不通』や」（同前）

「三つ子の魂百まで」というが、稲盛と永守の人生哲学には、母の教えが色濃く影を落としている。もっともそれは、この二人に限った話ではない。『母の教え』（財界研究所、２０１４

年）という書籍には、稲盛と永守に加えて、志太勤（シダックス取締役最高顧問）や鈴木敏文（セブン&アイ・ホールディングス名誉顧問）など、25人の経営者が登場する。いずれの話からも、母の教えが経営の原点となっていることがよくわかる。

脱日本

二人の創業期にも、共通点が多い。稲盛27歳、永守28歳のことである。

稲盛は、1955年、鹿児島県立大学（現・鹿児島大学）工学部を卒業後、京都にあった碍子メーカー松風（しょうふう）工業に入社。しかし、同社は当時、倒産寸前で、退職者が相次いでいた。稲盛は、同社の社員8人と1959年に京都セラミツク（現・京セラ）を設立する。

創立記念日式典で稲盛は「いずれ京都一、その次は日本一、そして世界一になる」とぶち上げる。しかし、無名のベンチャー企業にとって、顧客開拓は困難を極めた。たまに興味を示してくれる企業からは、同業他社が実現不可能だとして手掛けない無理難題を求められる。稲盛は、それを即座に引き受け、徹夜を繰り返して仕上げていく。

とはいえ硬直的な日本の産業構造のもとで、新規参入を果たすことは容易ではない。そこで稲盛は、日本の大手企業の技術導入先であるアメリカへの参入を目指す。だがアメリカ企業は、京セラの技術力は高く評価しつつも、なかなか注文には結びつかない。

そのようにもがき苦しみながら、稲盛はついに、IBMからの大型受注にこぎつける。しかも製品は、大型汎用コンピュータの幕開けとなる「システム／360」用のキーコンポーネントである。稲盛は、世界の超一流企業は、過去の実績やネームバリューではなく、技術力と公正さを大切にすることを痛感したという。

しかし、ふたを開けてみると、IBMの仕様はケタ違いに厳しく、何度試作してもはねられる。稲盛は担当者に、「どうかうまく焼成できますようにと神に祈ったか」と聞いた。担当者は神に祈り続けながら、難題を克服していった。

受注から2年後、何とか期限までに納入することができた。最後のトラックが走り去るのを見送りながら、「人間、能力は無限だ」ということをつくづく思い知らされたという。

能力を「未来進行形」で考えるという稲盛哲学が生まれた原体験である。そして京セラが世界から注目され、日本でも大きく飛躍する原点ともなった。

一番以外はビリ

永守は、1967年、職業訓練大学校（現・職業能力開発総合大学校）電気科を首席で卒業し、音響機器制作会社ティアックに就職。そして1973年、同社の部下2人を含む3人の若者を引き連れて、日本電産を創業する。永守の自宅にあった納屋を改造した本社で、「非同族、非下請け、グローバル」という3つのスローガンを掲げた。翌年には第1次オイルショックが勃発、まさに嵐のなかでの船出となった。

創業時に受注できた仕事は、ハードルが高いため同業他社が手を出さないコンピュータ用の試作モーターばかりだった。永守はとにかく注文を取ったうえで、苦労して何とかハードルをいくつも乗り越えていく。そのような経験から「苦労こそ財産」という信念が生まれた。後日、「情熱、熱意、執念さえあれば不可能を可能にできるという無形の財産を身につけた」と述懐している（『情熱・熱意・執念の経営』）。

「一番以外はビリ」が、永守のモットーだ。創業当初から「世界一の精密小型モーター会社」を目指した。しかし、実績や社歴を重視する日本企業の壁は厚く、注文はほとんど取れない。そこで単身渡米して飛び込み営業を実践、3M（スリーエム）社から大量受注を勝ち取る。

その後もIBMやゼロックスなど、アメリカの大手企業との取引が広がっていく。すると、今度は日本の一流メーカーからIBMに納めているモーターと同じものが欲しいなどといった注文が殺到。オイルショック後の省エネニーズが追い風となる。まさに危機を絶好の機会に変えていったのである。

そして第2次オイルショックが勃発した1979年には、世界に先駆けてブラシレスDCモーターによるハードディスクの直接駆動方式を実用化。この技術が引き金となって、コンピュータの小型化が一挙に加速していく。その潮流を味方につけ、日本電産はその後、指数関数的な成長を実現していったのである。

一意専心

稲盛と永守。高い志（パーパス）と熱意（パッション）だけを武器に、ゼロからスタート。閉塞的な日本市場から世界へと飛び出し、世界トップの座をつかんだ。それぞれファインセラミクスと小型モーターという本業から軸をブレさせることなく、2兆円に手が届く世界企業として成長し続けている。

デジタル化という時代の潮流を、うまく味方につけたことも勝因となった。しかしそれは、同業他社にとっても等しく大きな機会だったはずだ。しかし、京セラと日本電産は、「一意専心の精神」を貫いて、この千載一遇の機会を深掘りしつつ、進化していったのである。

「失われた30年」を経験した日本では今、「両利きの経営」がもてはやされている。両利きの経営とは、既存事業の深化と新規事業の探索を両立てで実践すべきというアメリカ発の経営モデルである。しかしこれは、本国アメリカでさえ、とっくの昔に「失策」の烙印が押されている。深化の先に探求があり、探求は常に深化が伴わなければ成功に至らないからだ。このままでは、日本はまたぞろアメリカ流経営に表層的に飛びついて、大きく足をすくわれかねない。

永守は、日本企業の敗因と自社の成功を、以下のように総括している。

「日本の企業は、自社の得意分野を持ちながらも、それらとかけ離れた分野まで手を広げて巨大化してきました。しかし、日本電産はモーターを中心とする『回るもの、動くもの』にこだわり、専門分野をさらに深く掘り進めることによって新たな鉱脈を探り出し、業容を拡大していきたいと考えます。

日本一から世界一を目指し、これをゆるぎないものにするためには、一意専心の精神が大切だと思っています」(『情熱・熱意・執念の経営』)

ニーチェは「汝の足下を掘れ、そこに泉あり」という名言を残している。稲盛も永守も、100年以上前のこの孤高の哲人の教えを、着実に実践している。

試練を跳躍台に

もちろん、常に順風満帆であるわけがない。半世紀にわたる経営者人生のなかで、二人とも幾多の試練に直面している。そして、そのたびに大きく進化していったのである。

稲盛にとっての最大の試練は、医療分野に進出したときに訪れる。京セラは、1973年にセラミクス製インプラント(生体内埋入材料)の開発に着手。その後、バイオセラム事業は同社の新規事業として軌道に乗っていった。しかし1985年、薬事法違反問題が勃発する。新しい形状やサイズをつくるときに必要な個別認可を受けることなく、販売してしまったのだ。患者に良かれと思ってやったこととはいえ、1カ月の操業停止処分を受ける。

この苦境を救ってくれたのが、前述の西片擔雪老師だ。マスコミに書き立てられて大変な目に遭っているとこぼしたところ、「それはしょうがありませんな、稲盛さん。苦労するのは生きている証拠です」とはぐらかすような答えが返ってきたという。

「災難に遭うのは過去につくった業が消えるときです。業が消えるのですから喜ぶべきです。どんな業があったか知らんが、その程度のことで業が消えるならお祝いせんといかんですな」

このことが稲盛が立ち直っていくうえで、最高の教えになった。「世間からの批判も『神が与えたもうた試練』と真摯に受け止め、全社員に襟を正すように呼びかけた」（『ガキの自叙伝』）という。

稲盛は「成功さえも試練」だと語る。

「天は成功という『試練』を人に与えることによって、その人を試しているのです。いわば人生は、大小様々な苦難や成功の連続であり、そのいずれもが『試練』なのです。そして、私たちの人生は、その人生で織りなす『試練』を、どのように受け止めるかによって大きく変貌していくのです」（『致知』２００３年4月号）

そして、試練のなかでこそ、志がよりどころになると説く。

「私は、現代の混迷した社会を思うとき、私たち一人ひとりが、どのような環境に置かれようとも、自らを磨き、人格を高めようとひたむきに努力し続けることが、一見迂遠に思えても、結局は社会をよりよいものにしていくと信じています」（同前）

谷深ければ山高し

永守も、バブル崩壊、リーマンショック、タイの大洪水と、たびたび大きな試練に直面している。そしてそのたびに、それを跳躍台として、一段と大きく成長している。

たとえば、日本全体がバブル景気に浮かれていた時期に、永守はそれまでの組織先行拡大路線から、人財の成長に合わせた組織づくりへと大きく舵を切る。この路線変更が奏功し、日本電産はバブル崩壊の危機を乗り越え、その後新しい成長軌道に向かっていった。

これを永守は「踊り場期間」と呼ぶ。「ガムシャラに前へすすむことだけが成長ではありません。ときには休むことも大切で、休みがあるから元気が出て、また階段を一気に駆け上がることができるのです」（『情熱・熱意・執念の経営』）。

そのような信念が、「ダブル・プロフィット・レイシオ（ＷＰＲ）」という永守流経営手法に結実していく。売り上げが半分になっても黒字を出せる体質にするという活動である。固定費を含めて、あらゆる費目を徹底的に削減して、損益分岐点を大幅に引き下げる。その結果、売り上げが元に戻ると、利益率は倍増するという構造改革である。

母タミの教えがヒントになったという。永守が起業を決めたとき、終始反対していた母は、最後に「会社を起こすなら、人の倍働くか。倍働かないと、成功できんよ」と語ったという。創業以来、永守は「倍と半分の法則」を貫き通した。他社の2倍働き、納期を半分にすることで、勝利を呼び込むという法則である。それをコスト構造に適応することにより、不況のたびに一層強くなるという離れ業を身につけたのである。

永守はコロナ禍も飛躍のチャンスととらえている。新型コロナウイルス感染拡大の第一波の最中、NHKのインタビューに次のように答えている。

「今回の谷は深いなと。でも深けりゃ深いほど次に高い山が待ってると。私は社員や幹部には、こういうときにこそ差がつくぞと言っている。だから必死に頑張ろうやないかと。やっぱり最後は私の答えは、自分の力を信じて、また自分たちの従業員の力を信じて頑張れば必ずいい結果が待ってると。今回も、みんなが危機感を持っている。だからこそ、こんなチャンスはないんです。みんな危機感を持って私の話なんかも真剣に聞いてくれる。だから、このチャンスを生かしてね、やっぱり明るい将来をつくっていくんだと。そういう気持ちを持つべきですね」

（2020年4月28日放送）

「山高ければ谷深し」は相場の格言である。16歳から株式投資を始めたという永守は、この格言の裏を読む。未来を先取りする永守経営は、そのような波動の先読みから生まれてくるのである。

永守は、新型コロナが世界的に流行する半年以上前から「来年は大きな不況の波がやってくる」と予測、4弾目となるWPRを発動した。その一方で、電気自動車（EV）向けのトラクションモーターの増産に向けて、中国の大連に1000億円投資することを発表している。

稲盛は、「不況は成長のチャンス」と語る。永守は、「危機を機会に変えることができる企業だけが生き残る」と言葉に力を込める。試練のときこそ、経営力の真価が問われる。そしてそれは、稲盛経営と永守経営の底力をまざまざと見せつけられる瞬間でもある。

破壊ではなく進化

稲盛と永守は、企業再生の巧者としても共通点が多い。

稲盛は1998年に、会社更生法の適用を申請した複写機メーカーの三田工業を「京セラミタ（現・京セラドキュメントソリューションズ）」として京セラの子会社に編入。9年かけて達成されるはずだった更生計画を、わずか2年で達成する。

海外でも、1990年、アメリカの大手電子部品メーカーであるAVX社を合併。その後、AVX社の業績は急速に上昇を遂げ、1995年にはニューヨーク証券取引所に再上場を果たしている。

しかし、何といっても世界を驚かせたのが、ＪＡＬの再生劇である。２０１０年1月、ＪＡＬは会社更生法適用を申請。政財界からの要請を受けて、稲盛が無報酬で再生に乗り出す。稲盛、78歳。喜寿を超えた老人の登壇に、マスコミはこのままでは二次破綻必須とまで酷評した。

しかし稲盛は、社員の意識改革を徹底し、1年後には営業利益１８００億円という過去最高益を生み出すことに成功。そして2年半後には再上場させるという離れ業を実現したのである。このあたりの経緯は、大田嘉仁『ＪＡＬの奇跡』（致知出版社、２０１８年）に詳しい。大田は、稲盛が京セラからＪＡＬに送り込んだ全社変革の仕掛け人である。

稲盛は、着任後最初の幹部向け挨拶で、中村天風の言葉を引用したという。

「新しき計画の成就はただ不撓不屈の一心にあり。さらばひたむきにただ想え、気高く、強く、一筋に」

しかし幹部の間には、しらけムードが漂う。精神論だけでＪＡＬを再生できるわけがないという声も少なくなかったという。

また、ことあるごとに「経営の目的は全従業員の物心両面の幸せの追求にある」と語る稲盛に対して、組合に迎合するのかと幹部の一部が反発。これに対して稲盛は、「社員が信用できないのなら、幹部の資格はない」と厳しく諭したという。

「社員が幸せでない会社が発展できるはずはなく、資本主義のメッカと言われるニューヨーク株式市場に京セラは上場しているが、そのことで批判されたことはない」

稲盛は全社の意識変革を最優先することを決意し、まずリーダー教育を徹底。そのなかから京セラフィロソフィを参考にした「ＪＡＬフィロソフィ」が生まれ、全社員を対象にフィロソフィ教育が展開された。

一番大きく変わったのは、派遣社員や契約社員、委託先社員だったかもしれないと大田は述懐する。ＪＡＬフィロソフィのなかで謳われている「一人ひとりがＪＡＬ」という思いを自分ごと化することで、再建に向けた一体感が生まれていった。さらに現場の若手社員の間には、自主勉強会の輪が広がっていったという。

意識面に加えて、経営手法の変革も進められた。経営上の数字を見える化し、それにもとづいて全員参加の経営を実現していく。稲盛流「アメーバ経営」である。共通経費や固定費を分解して、無駄を徹底的に排除する。経営会議を経営手法変革の実践の場として、幹部を質問攻めにして、数字にもとづく経営を根付かせた。

一方で、稲盛は現場を訪問しては、数字にもとづく現場の自発的な取り組みにエールを送る。

こうしてフィロソフィと数字にもとづく全員参加経営が定着していった。ＪＡＬ再生劇は、稲盛流経営の普遍性をまざまざと見せつけたものだったのである。

買収王の鉄則

永守は、「買収王」の異名をとっている。これまで60件を超える国内外の買収を、すべて成功させてきた。Ｍ＆Ａの成否を決する3つの鉄則を、かたくなに守っているからだ。

第一に価格。「日本電産には永守式企業価値算定方式があり、これに合わないものは買わない」と言う（「Ｍ＆Ａオンライン」２０１７年12月1日）。そのためにはタイミングも重要だ。まず、１９９０年代のバブル崩壊を契機に、国内の赤字会社を積極的に買収。そして、リーマンショック以降は、海外の老舗企業の買収を猛スピードで展開。Ｍ＆Ａにおいても、危機を好機とする永守マジックが遺憾なく発揮されている。

第二にＰＭＩ（ポスト・マージャー・インテグレーション）。永守流の経営手法を買収企業に移植することによって高収益企業へと変貌させ、異次元の規模拡大を実現していく。永守はＭ＆Ａというより、ＰＭＩの巧者なのである。そしてそれは、自社の非連続な成長を牽引し続けている力と、本質的には何も変わるところはない。

たとえば２００３年に傘下に収めた三協精機製作所（現・日本電産サンキョー）。永守は、毎週2泊3日で長野にある本社に出張し、徹底的に永守流経営を刷り込んだ。

「私は駄目になった会社の『人材』を買っているのであって、資産を買っているのではないのです」と永守は語る（『情熱・熱意・執念の経営』）。

「経営が駄目で傾いている会社にはまだ人材だけは残っています。経営が悪いため士気が落ち、くじけているだけです。そんな企業を買って空気を変え、意識を変え、士気を上げ、立て直すのが私の経営なのです」（同前）

そのためには、買収先の条件として「社風が合うかどうか」、そして「トップがもっと会社を大きくしたいと思っているかどうか」を大切にしているという。

赤字会社を買収しても、人員整理は一切行わない。その代わり、買収直後に、判で押したように徹底させる活動がある。永守経営手法のなかで「3Q6S」と呼ばれているものだ。「3Q」とは3つのQuality、すなわち社員の質、会社の質、そして製品の質を指す。優良企業を目指すためには、優良な製品を生み出さなければならない。そして、それらの基盤となるのが社員の質である。

社員の質を向上させる基本的な活動が「6S」だ。「整理・整頓・清潔・清掃・作法・躾（しつけ）の6つの徹底こそが、一流企業の条件」というのが、永守の信念である。そのためには、幹部も含めて、全員が掃除から始める。「だまされたと思って、やってごらん」と永守は語りかける。

すると事実、6Sを実践することで、買収先は自律的に再生し、新たな成長軌道に向かっていくのである。

しかも、それを短期間でやり遂げるのが、永守マジックの真骨頂である。「日本であれば、1年でできる」と永守は言い切る。ただし、文化や風土、価値観の違う海外では、もう少し時間がかかるとも言う。「アジアで2年、ヨーロッパで3年、アメリカでは5年かかる」。

第三に「シナジー」の追求。買収した企業群と自社の事業群を有機的に組み合わせて、足し算ではなく掛け算としての付加価値向上を実現する。たとえば、EV用の駆動（トラクション）モーターシステム"E-Axle"は、現在同社が最も力を入れている領域の1つだ。この複雑な機構を電子制御する技術を獲得するために、2014年には自動車用電子制御システムメーカーのホンダエレシス（現・日本電産エレシス）を、19年にはオムロンの車載事業（現・日本電産モビリティ）を、21年には三菱重工業の工作機械事業（現・日本電産マシンツール）を買収している。

「日本電産には詰め物買収と言う考えがある」と永守は語る。「城には大きな石垣がある。大きな石の間に細かい石がいっぱい詰まっている。このため地震があっても城は壊れない。大きな石を支えている、小さな石にあたる会社を2、3社買うのが詰め物買収で、これが収益の根源となる。どういう会社を買えば大きな石が強固になっていくかを考えて買う。例えばモーターの会社でありながら、主要部品であるステーターを外から買っている企業は、巻き線機のメーカーを買う。これが詰め物で、これで大きな石が強くなる」（「M&Aオンライン」2017年12月1日）。

「私、失敗しないので」というTVドラマ「ドクターX」（外科医・大門未知子）のセリフを、永守は冗談めかしてよく口にする。そもそも成功するまで執念をもってやり遂げるので、永守の辞書には失敗の2文字はない。

それにしても、M&Aは水ものだ。世の中では失敗するほうが当たり前。特にクロスボーダー型の場合、プレミアム分も正当化できる案件は、世界的に見ても4件に1件もない。そのなかで、永守が常勝しているのは、前述の3つの鉄則を厳守しているからである。

稲盛と永守。ここでもスタイルこそ異なるが、人を中心におき、経営の軸をブレさせない点においては、驚くほど共通している。

未来を拓く

本書執筆時点で、稲盛89歳、永守76歳。「老化なき世界」が近づくなかで、二人ともまだまだ新たな世界を切り拓き続けることだろう。稲盛経営と永守経営に共通しているのは、現状維持を忌避し、変化を常態として進化し続ける姿勢である。

本章で取り上げた事跡を振り返ってみただけでも、この二人のリーダーが向かうであろう未来を予見することができそうだ。ここでは３つの確実な未来像について述べたい。

第一に、常識的な発想にとらわれず、自らの手で未来を拓き続けることである。稲盛は「知的バーバリアン」であり続けている。永守は「知的ハードワーク」をモットーとしている。どちらも、世の中で不可能と考えられていたことに、命がけで挑戦し続けてきた。

こういうと、日本ではいかにも「昭和」くさいと思われがちだ。しかし、それはスティーブ・ジョブズやジャック・マーの経営哲学と、本質的に変わらない。むしろ「ワーク・ライフ・バランス」を掲げる最近の日本こそ、半世紀前の「イギリス病」を彷彿とさせる国民病に陥っているにすぎない。日本企業は二人の経営思想の本質を理解して、早くこの「平成の惰眠」から目覚めなければならない。

世の中の表層的な動向に流されない点も、二人に共通している。たとえば、モノからコトへのシフト。サービスエコノミーとしてもてはやされている潮流である。金融資本主義やデジタル資本主義も現代病の代表例だ。

しかし、稲盛も永守も、だからこそモノとヒトの希少価値を説く。京セラも日本電産も、部品メーカーである。彼らの部品がなければ、スマートフォンもＥＶも動かない。ＳａａＳもＭａａＳも、モノがなければ始まらない。カネやデータのようなビットのパワーだけでは、本質的な変化は生み出せない。リアルの世界を変えるためには、モノやヒトがもつアトムのパワーが必須なのだ。

もちろん、モノもヒトも、ビットの力でパワーアップする必要がある。たとえば、京セラや日本電産の提供するモノには、ソフトが知恵として組み込まれ、「考えるハード」へと進化し続けなければならない。ヒトもデジタルの力を借り、より大局観をもち、先見力と想像力に磨きをかけ続けなければならない。この二人の先駆者は、バーチャルとリアルの世界が融合した未来を拓き続けていくことだろう。

二人とも、人間の可能性は無限だと信じている。先進国に広がる「成長の限界」説には与しない。しかしだからといって、単純な進歩主義にも陥らない。稲盛は「自利から利他へ」というパラダイムシフトを説き続ける。永守は「自然との共生」の必要性を語る。

それは直線的な進歩でも、円環的な循環でもない。いわばらせん的な進化である。新京都学派の生物学者・福岡伸一が唱える「動的平衡」に言い換えてもいいだろう。そしてそれは生命が生き続けていくための本質的な力学でもある。二人はこれからも、環境や健康に配慮した質的な成長を目指し続けるはずだ。

新日本流

第二に、日本の伝統的な価値観を基軸として、それを世界に伝播し続けることである。昭和時代に驚異的な成長を遂げて世界を震撼させた日本が、平成の30年間、突如失速していったのはなぜか？　その真因の1つが、独自の日本流から「世界標準」へと経営の軸をブレさせたことである。

そもそも世界標準などというものは、どこにも存在しない。グローバルスタンダードという言葉も、海外に対して卑屈になりがちな日本人がつくった和製英語にすぎない。それにもかかわらず、バブル崩壊とともに、競争戦略論や欲望扇動型マーケティング論など、欧米直輸入の経営モデルに飛びついてしまった。最近もデジタル思考、破壊的イノベーション、コーポレートガバナンス、両利きの経営など、欧米発のお手軽モデルが、パンデミックとなって日本中を席捲している。

いずれも経営の本質を見事にはずしており、当の欧米ではとっくの昔に否定されているモデルであることにも気づいていない。これは悲劇というより喜劇だ。このような周回遅れの欧米礼賛主義に陥っている限り、日本企業の復権はありえない。

日本の未来を拓いた歴史的なリーダーは、いずれも日本固有の価値観を基軸としていた。前述した『代表的日本人』の群像がそうである。「論語と算盤」を唱えて、日本型資本主義の礎を築いた渋沢栄一がそうである。焦土から立ち上がり、水道哲学を掲げて世界のＱＯＬ（クオリティ・オブ・ライフ）の向上に努めた松下幸之助がそうである。

そして、本書の主人公の二人も同じだ。このようなバズワードには一切ふりまわされず、独自の価値観にもとづいて、本質を極め続けている。

正しい倫理観にもとづくこと。原理原則に従うこと。人の力を信じ、鼓舞し続けること――それらは一見、地味な経営理念に思えるかもしれない。しかし、時代の潮流に流されつづける付和雷同型の日本企業が多いなかで、「不易」を見据えた両者の経営は、異彩を放っている。しかもその価値観が、古都・京都に今なお脈打つ日本古来の文化や思想を基軸としていることは、前述したとおりである。

稲盛の経営哲学は、中国の経営者にも信奉者が多い。永守の経営哲学を紹介した『日本電産の話』（キム・ソンホ著、２００９年）は、韓国でベストセラーとなった。稲盛が中国の古典から多くの人生哲学を学び、永守がサムスン電子やＬＧエレクトロニクスの創業者から経営哲学を学んだことを考えると、欧米型とは一線を画したアジア型の経営モデルが、これから広く世界からも注目される可能性が高い。そして、稲盛と永守は、その教祖であり伝道師として、今後とも京都からアジアへ、そして世界へと発信を続けていくはずである。

第三に、経営を軸足としつつ、大きく一歩踏み出していくことである。

稲盛は経営を超えて、人の生き方や社会のあるべき姿を語り続けている。１９９７年、65歳で念願の仏門入りした後も、信仰の世界に安住することはない。擔雪老師からは、得度の際に、次のように勧められたという。

「僧は修行を積んでもなかなか社会に影響を与えることはできませんが、あなたは、得度して実社会で社会のために貢献していくことが仏の道でありましょう」（稲盛和夫『稲盛和夫の哲学』ＰＨＰ研究所、２００１年）

90歳を目前にしている稲盛だが、今後とも世界と日本が本質的に抱える課題に対して、深い洞察にもとづく解決の糸口を提言し続けることだろう。

All for Dreams

２０２１年4月、永守は突然、6月予定の株主総会でＣＥＯを退任すると宣言して世の中を驚かせた。後任は1年少し前に日産自動車からヘッドハントしてきた関潤ＣＯＯ（最高執行責任者）。

会見で、永守は心中を次のように語っていた。

「会社の比重が車関連に移ってきている。ビジネスはどんどん変わるものであり、さらに会社を成長させることが大事だ。競争力を高めるためにスピード感のある経営を続けるために（ＣＥＯを）移管する。ＣＥＯは経験を積み上げていくもので、後任の関社長の育成を図っていきたい」

永守はこれからも代表取締役会長として、未来を構想し、実現していくことに注力していくことになる。「(2069年に売上高100兆円を目指す)新50年計画を実現するためには、125歳まで生きなければいかん」(テレビ東京「カンブリア宮殿」2020年7月23日放送)という思いは強まるばかりだろう。

稲盛とは一回り違い。稲盛がJAL再生を引き受けたときよりもまだ若い。これから、まだまだ経営の最前線で永守マジックを展開してくれることは、間違いない。

その一方で、大学教育にも情熱を注いでいる。京都先端科学大学を世界の教育の中心地にすると意気込んでいることは、前述したとおりだ。

筆者との対談でも、その思いを次のように語っている。

「若い人に夢を持たせて、その実現をサポートしてあげないと、日本はだめになりますよ。特にいまのような不確実性の時代には、夢を持って自分で未来を切り拓いていける人でないと、社会の役には立てません。だから、私は京都先端科学大学も、夢を形にする大学を目指しています」

「私は学生にこんな話をするんです。『社会に出たらすぐに第一線で活躍できる技術と知識を身につけられる教育をこの大学ではやる』『偏差値で学生を選んでいるような会社はこの先見込みはないから、いまは小さくてもこれから伸びる会社に入りなさい。その目利きを教えてあげる』『起業したいなら、これからビジネススクールもつくるから、そこに来なさい。僕も必ず講義をしに行くから』、と。

そうやって語りかけていると、学生はぐいぐい引き込まれて真剣な表情になっていきます。みんなが明るい未来を描けるような話を、わかりやすい言葉で語りかける。それは、リーダーの大事な役割だと思います」（いずれも『ダイヤモンド・ハーバード・ビジネス・レビュー』２０２０年９月号）

稲盛は「色付きの夢」を見なければならないと説く。そうすれば、現実のものにしたいという意欲が湧くからだ。一方、永守は〝All for Dreams〟を日本電産のコーポレートスローガンとして掲げている。そして夢はかならず実現できると信じている。

両者が描く未来の夢は、どのような形で実現していくのだろうか。新型コロナの霧が晴れて、二人が思い思いに新常態の世界を拓いていくことが、今から楽しみである。

第3章 リーダーの素顔

鬼か仏か

この章では、二人のリーダーの素顔を浮彫りにしていこう。

まず気づかされることが、二人とも二面性をもっているということである。それもさまざまな次元において見出される。

たとえば、人格面。一見すると、二重人格なのではないかと疑いたくなるくらいだ。象徴的にいえば、鬼と仏が同居しているといった印象である。

さすがに仏門に入った稲盛は、今では「仏」の顔を見せることが多い。しかし、その経営哲学のなかには、「鬼」の側面が頻繁に顔を出す。

稲盛はよく「小善と大善」という仏教の言葉を引用する。上司と部下の関係にも当てはまるという。

「信念もなく部下に迎合する上司は、一見愛情深いように見えますが、結果として部下をダメにしていきます。これを『小善』といいます。『小善は大悪に似たり』と言われたりもしますが、表面的な愛情は相手を不幸にします。逆に信念をもって厳しく指導する上司は、けむたいかもしれませんが、長い目で見れば部下を大きく成長させることになります。これが『大善』です。真の愛情とは、どうあることが相手にとって本当に良いのかを厳しく見極めることなのです」（稲盛和夫『京セラフィロソフィ』サンマーク出版、２００４年）

稲盛は「叱るべきときは、心を鬼にして叱る」ことを、自分に課し続けた。まさに、鬼に仏（大善）が宿っているのである。

その稲盛に輪をかけて鬼の形相を見せるのが、永守だ。そもそもが３６５日働くと豪語する「仕事の鬼」である。その永守の信条は「叱るときには徹底的に叱る」だという。

「幹部が持ってきた書類や図面のできが悪かったとき、みんなが見ている前で破り捨てたこともあるし、社員に対してもことあるごとに怒鳴り、叱りつけて教育をしてきた。それも中途半端にはやらなかった。相手を震え上がらせ、もうこれ以上怒鳴ったり、叱ったりすると夜道で後ろからナイフで刺されるのではないかという極限までやった」（『「人を動かす人」になれ！』)。

ただし、単に感情にまかせて怒りを爆発させているわけではない。社員一人ひとりの性格や個性を見極め、どういう叱り方をすれば彼らの心のなかに眠っている闘争心や負けん気に火をつけることができるかを考えている。「望みがあるから叱る」のだという。

「上司から叱られない社員は三流以下、1日に5回叱られてやっと二流、10回叱られるようになって初めて一人前の口をきいてもよろしい」というのが、永守の口癖だ。

しかも、叱ったときには、最低でも三倍はアフターケアをすることにしているという。そのために褒め言葉にあふれた手紙を送る。「叱って褒める」——まさに鬼と仏だ。そしてそれは永守一流の愛情の表現であり、人を動かすワザである。

哲学か科学か

理念というレベルでみても、合理主義と理想主義が同居していることが見て取れる。科学と哲学、あるいは、理性と感性と言い換えることもできる。

稲盛経営のバックボーンは「フィロソフィ」、すなわち哲学である。哲学とは「人間は何のために生きるのか」を問い、「人間として正しいかどうか」を判断するためのよりどころだと稲盛は説く。

「人間として間違っていないか、根本の倫理や道徳に反していないか――私はこのことを、生きるうえで最も大切なことだと肝に銘じ、人生を通じて必死に守ろうと努めてきた」と稲盛は語る（『生き方』）。そのような思いをまとめたものが『京セラフィロソフィ』である。

『京セラフィロソフィ』は大きく4部構成となっている。①すばらしい人生をおくるために、②経営のこころ、③京セラでは一人一人が経営者、④日々の仕事を進めるにあたって、の4つである。稲盛経営の原点であり、稲盛イズムの経典でもある。

「この明快な判断基準があればこそ、私は、京セラやKDDI、そして日本航空の経営において、半世紀以上にもわたり、判断を誤ることなく、それぞれの会社を成長発展へと導くことができました」と、同書のまえがきで稲盛は述懐している。

このフィロソフィと対をなすのが「アメーバ経営」である。フィロソフィがバックボーンだとすれば、アメーバ経営は神経系にあたる。社員を6～7人の小集団（アメーバ）に分け、アメーバごとに時間当たり採算の最大化を目指す仕組みである。

稲盛は、アメーバ経営を以下のように説明している。

「アメーバ経営とは、組織を小集団に分け、市場に直結した独立採算制により運営し、経営者意識を持ったリーダーを社内に育成すると同時に、全従業員が経営に参加する『全員参加経営』を実現する経営手段なのである」（稲盛和夫『アメーバ経営』日本経済新聞出版、200

6年）

京セラが大会社化してくなかで、その弊害を避けるために稲盛が独自に生み出したものだ。JALの再生も、「JALフィロソフィ」とともに、このアメーバ経営が硬直的な組織細胞に生命力をよみがえらせる原動力となった。アメーバ経営の本質については、次章で詳述することとしたい。

合理主義と理想主義。この一見、両極端な理念を、経営の根幹に持ち込み、見事に融和させていることが、稲盛経営の神髄である。稲盛は語る。

「ビジネスの世界では、徹底した合理主義者、しかし、それ以外ではロマンチストであり、形而上学的なことも考えられる人間でなければいけません。この両面のバランスが取れていなければ、一流の経営者にはなれない」（『京セラフィロソフィ』）

さらに現代の科学万能主義に警鐘を鳴らし、哲学への回帰を説く。

「現代社会では、物事を科学的に解釈することばかりに重きを置き、『よき人間、よき世の中をつくっていくためには、どういう考え方をし、いかなる哲学を樹立したらよいか』というところが忘れ去られているのではないか」（『稲盛和夫の哲学』）

夢とロマン

永守はフィロソフィのような硬い言葉ではなく、心に響く柔らかい言葉を好む。たとえば、「夢」、そして「ロマン」。

「なぜ成長しなければならないのか?」という問いに、永守は次のように答えている。

「成長が持続しない企業はつぶれるか、現状維持のままで活力のない企業として細々と生きるしかない。そこには、何の夢もロマンもない」（永守重信『挑戦への道』日本電産社内資料、1997年）

また、「IQよりEQが大切」が、永守の口癖だ。IQ（能力）がどんなに高いといっても、せいぜいが人より5倍程度。しかし、EQ（意識）の高い社員は、100倍以上の成果を生むことがあるという。

「重要なのは、EQは『後天的に伸ばすことができる』ということ。IQは遺伝的要因がかなり関係するらしいが、EQは教育や環境によって筋肉のように鍛えることが可能です」（「プレジデントオンライン」2010年5月10日）

日本電産は創立当初から、3大精神を掲げている。「情熱、熱意、執念」「知的ハードワーキング」「すぐやる、必ずやる、出来るまでやる」の3つだ。かなり体育会系的な根性論に聞こえるかもしれない。しかし、それが永守流のEQの鍛え方である。

一方で、精神論だけでは経営できない。永守はそこに独自の経営手法を持ち込む。「永守3

大経営手法」と呼ばれるものだ。「井戸掘り経営」「家計簿経営」「千切り経営」の3つである。それぞれ、きわめて常識的な原理原則を徹底的に磨き上げたものである。この経営手法についても、後述することにしたい。

永守は、経営者に対して次のような資質を要求している。

「夢・ロマンを語ると同様に、全社の力、可能性を具体的な数字として頭に叩き込んでおくこと、これが経営者の第一条件であろう」(『挑戦への道』)

一方で若者たちには、次のように檄を飛ばす。

「ロマンや夢を一気に実現しようとしても難しい。まずは、自分の人生を小さく刻んで、小さなことからコツコツと行うことである」(同前)

稲盛は理想主義と合理主義の両立を語り、永守は夢・ロマンと数字の両立を説く。これは二人にだけ共通した特徴ではない。かつて渋沢栄一が唱えた「論語と算盤」そのものでもある。

100年の歳月を超えて、日本型経営の神髄は驚くほど一貫している。グローバルスタンダードなどいう幻想にとらわれることなく、二人の経営者は、日本型経営の原型を現在、そして未来へと継承し続けているのである。

大家族主義

稲盛経営の基軸は、アメーバ経営にある。アメーバ経営は全員参加を促す経営だ。一人ひとりの自律を促し、自己実現を目指す。

しかし、それは「個」を優先する経営ではない。「全員の力が1つの方向にそろったときに集団としての目標達成へとつながる」（『京セラフィロソフィ』）ことを目指したものだ。そこでは経営に対する志命感が求められる。

したがってリーダーに求められる役割は、全員のベクトルを合わせることである。個人主義の対極である「大家族主義」こそがカギとなる。社員一人ひとりが「家族の一員」としての責任感をもつように指導しなければならない。自社が社会に果たすべき役割は何か、そのなかで自分が所属するアメーバが果たすべき役割は何か、そしてそのなかで一人ひとりのメンバーが果たすべき役割は何か――そのように常に上位の本質的な大義に紐付いた志命を、一人ひとりが自覚しなければならない。

今、日本ではメンバーシップ型からジョブ型への移行がパンデミックのように流行している。新種の「グローバルスタンダード」病だ。しかしそれでは「大家族主義」という日本企業の最大の強みを失うだけだ。一人ひとりがプロとしての腕を磨きつつ、「ワン・チーム」として行動することを忘れてはならない。

世界の先進企業は、この「大家族主義」に向かっている。たとえば、世界で最も働きたい企業に選ばれるセールスフォース・ドットコム。この1999年生まれのデジタル・ネイティブ企業が大切にしているのが「Ohana文化」だ。Ohanaはハワイ語で「家族」を意味する。

もちろん、家族主義は甘やかしたり、放任したりすることを意味するわけでない。むしろ企業が従業員を家族のメンバーとしてどこまでケアできるかが問われる。

「アメーバ経営では、絶対に現場に任せきりにしてはならない」と稲盛はクギを刺す。リーダーは人一倍客先や現場に足を運び、問題解決に全力を尽くさなければならない。『アメーバ経営』は、次のようなメッセージで締めくくられている。

「会議や現場など経営のあらゆる場面において、正しい判断の仕方や問題の解決方法をリーダーが指導、教育し、それを繰り返すことにより、メンバーとの間でフィロソフィを共有化し、経営者としての意識を高めていくことが最も大切である」

個人としての「自律」と同時に、組織としての「規律」が問われるのである。

任せて任さず

永守は「規制と自由」の両立が重要と説く。

「規制することばかりを教えると、そこで成長が止まってしまいます。かといって、放任主義もいけません。どこでどう規制をかけ、自由に任せるのはどこまでなのかの一線を明確にしておかなければ、伸びる社員を殺してしまうことにもなります。社員成長の立場から、この一線を明確にするのも経営者の責任です」（『情熱・熱意・執念の経営』）

永守の語録のなかに、「任せて任さず」という教えがある。同社のグローバル経営大学校で永守がこの言葉を口にするたびに、外国人は一様にキツネにつままれたような顔をする。任せろと言っているのか、任せるなと言っているのか、どちらなのか。まさに禅問答である。

永守は、これこそが人を育てる極意だと語る。任せないと部下は育たない。しかし任せきってしまうと見えないところで大きな問題を起こす。任せたうえで、十分にケアしなければならない。そのためには、育てる人に対して関心をもたなければならないと言う。

「いつもその人が何をしているのか、さりげなく周りから情報を取って、悩んでいたり、体調が悪そうだったりしたら、すぐに呼び出して『調子はどうだ』と声を掛けます。必要だったらガツーンと叱ったりもします。そうやって、任せているようで実は全部把握しているということを、相手に分からせることが重要なんです」（「ダイヤモンド・オンライン」２０１９年10月7日）

「権限委譲」と「責任委譲」を勘違いするな、とも戒める。部下には主体的に仕事を進めさせなければならないが、その結果責任はあくまで上司がとらなければならない。部下を放任しておいて、後になって「部下を信頼して任せたのに裏切られた」などという責任回避は言語道断である。

永守は「ハンズオン」と「マイクロマネジメント」の重要性を説く。これも欧米流の経営手法からみると、きわめて異端に映る。同社のグローバル経営大学校卒業生の一人で、ドイツの子会社のCFO（最高財務責任者）を務めるフォン・バウアーは、「永守流経営と欧州流経営の違いは何か」との問いに、以下のように答えている。

「現場を理解してやるハンズオンのマネジメントですね。従業員と対話してケアが必要なことを事細かに把握し、従業員をサポートします。

社員が目標を達成するためには支援が必要です。私には25年間のマネジメントの経験がありますが、日本電産に入る前から、マネジメントのスタイルは変わっていません。マイクロマネジメントと社員に責任を与えることのバランスが大事で、それは相手や状況に応じて変えます。

一方、一般的な欧州の経営者はヘリコプターのように降りてきて社員に仕事を与えて、その後は成果を待っていることが多いのです」（「ダイヤモンド・オンライン」２０１９年10月11日）

自律（任せる）と規律（任せず）。このバランスを保つことで、経営幹部と現場が一体となり、緊張感をもって仕事を進める。これこそが、永守経営の神髄であり、稲盛のアメーバ経営の本質とも通底するところである。

現在か未来か——遠近複眼経営

稲盛は、「宇宙の意志（サムシング・グレート）」を信じるという。それは「すべてのものを幸せな方向に進化・発展させる」という思いである。万物への「愛」そして「共生」という理念にもつながるという（『稲盛和夫の哲学』）。

『京セラフィロソフィ』は、「宇宙の意志と調和する心」という教えから始まる。「宇宙の流れと同調し、調和するようなきれいなこころで描く美しい思いをもつことによって、運命も明るくひらけていくのです」

その際には、時間軸を長くとらなければならない。「30年くらいのスパンで見る」必要があると説く。今であれば、21世紀後半を視座におかなければならないことになる。

一方で、「私は長期の経営計画というものを立てたことがありません」と稲盛は述懐する。「今日を生きることなしに、明日はやってきません。明日もわからないのに、5年先、10年先のことが果たして見通せるでしょうか。まずは、今日という一日を一生懸命に過ごすこと、それが大切だと思うのです」（『生き方』）

現在起こりつつあることについて、「ド真剣」に向き合う。変化が常態化した市場においては、過去の数字も未来の予測も役に立たない。「経営者にとって必要なものは、会社がいま、どのような状態にあり、どのような手を打てばいいかを判断できる『生きた数字』なのである」（『アメーバ経営』）。

「日々採算をつくる」がアメーバ経営の基本原則だ。『京セラフィソロフィ』のなかにも、「毎日の数字を見ないで経営を行うのは、計器を見ないで飛行機を操縦することと同じ」というくだりがある。「同様に日々の経営から目を離したら、目標には決して到達できません」。

30年先と足元を同時に見据える。理想と現実を直視し、そのギャップを埋めるために全社員が一体となって変革に取り組む。それが稲盛経営の進化の原動力となっているのである。

炭鉱のカナリア

永守はさらに遠くを見つめる。50年が1つの目安だという。

まず1973年の創業の際に、50年計画を作成した。当時3人しかいなかった社員を前にして、「50年で売上高を1兆円にする」とぶち上げたのである。筆者との対談で、永守は次のようなエピソードを紹介してくれた。

「当時は第一次石油危機で、世間は不況の波にのまれているし、社員は『社長、それ1億円の間違いやありませんか』と。５分で終わるはずだった訓示が1時間40分くらいになって、何度も『違う、１兆円や』と説明しても、『そんなもん、想像もつきませんわ』と誰も真に受けてくれませんでした」（『ダイヤモンド・ハーバード・ビジネス・レビュー』２０２０年９月号）

実際には計画より早く、２０１５年３月期には売上高1兆円を突破。今は1兆５０００億円を超え、世界一のモーターメーカーになっている。そこで、２０１９年には、第２の50年計画を作成したという。

「これはまだ公表していません。50年後というと私は１２５歳で、そこまで生きられるかどうかは神のみぞ知るですしね」（同前）

とはいえ、より現実的にとらえ焦点を当てているのは30年後だともいう。２０５０年、世界人口が１００億人になると、人型ロボットが５００億台くらい働いていると予測している。１台の人型ロボットには６００個のモーターが必要となる。しかし、そのためにはモーターの小型化と省電力化が必須。そこで、今から研究所に発破をかけている。

筆者は永守に、どうすれば未来が見えるのか、とストレートに尋ねたことがある。永守の答えは明快だ。「これも簡単や。専門家やお客さんのキーパーソンにたくさん聞く。知ったかぶりしない」。

その一方で、現実の小さな変動をとらえて近未来を予兆し、組織や事業構造を絶えず脱皮させ、進化させている。先述したように、最近のコロナ禍のもとでも、即座にＷＰＲ（ダブル・プロフィット・レイシオ）プログラムの第４弾を実践。コスト体質を徹底的に筋肉質化したうえで、戦略的な投資も仕掛けて、次世代成長に大きく舵を切っている。

「じつは去年（筆者注：２０１９年）の秋口から、グループの幹部が集まったときには来年はえらい年になるから、いまのうちに固定費を下げておかないと厳しくなるぞという話をしていたんです。いまになって、『会長は新型コロナが来ることがわかっていたんですか』と聞く幹部がいますけど、まさかそこまで見えていたわけではありません。ただ、リーマン・ショックから去年で11年目でしたし、そろそろ何か起きてもおかしくないと思っていました。

それに、創業者にとって会社は自分の体みたいなものだから、どこかに異変があればすぐに気が付くし、寝ても覚めても経営のことを考えていて、この会社を絶対につぶしてはいけないという意識が頭を離れない。だから、小さな変化の予兆に対して、勘が働くんでしょうね」（同前）

「まるで（危険の前兆を知らせる）炭鉱のカナリアみたいですね」と筆者が感心すると、「個人投資家からもそう言われたことがありますよ」と屈託なく笑う。

「当社は世界中のいろいろな業界にお客さんがいますが、そういうお客さんのところに出かけていって、私はさまざまな話を聞いていています。そのうえで、世界中の社員に直接電話をかけて、

『お客さんがこういう話をしていたけど、本当か』と裏を取るんです。だから、その業界で何が起こっているか、世の中が次にどう動くかがだいたいわかるのです。それで、『こういう大きな変化が来る』と確信を持てたら、大きくどーんと投資するわけです」（同前）

ズームインとズームアウトを絶えず繰り返し、社会・経済の長期的な波動と短期的な変化を同時にとらえ、その両方を表裏一体のものとして緊密に連携させながら、あるべき未来へと続く明日を切り拓いていく。これこそ、稲盛経営と永守経営に共通する時間軸のマネジメントである。筆者はそれを「遠近複眼経営」と呼ぶ。

多くの日本企業が行っている中期経営計画偏重のマネジメントには、この長期ビジョンとマイクロマネジメントが決定的に欠落している。だから、大きなビジネスチャンスをつかむことができないし、目の前の変化に機敏に対応することもできない。

この遠近複眼経営については、第5章で詳述することにしたい。

「和」の思想

鬼か仏か、哲学か科学か、規律か自律か、そして現在か未来か。いずれも二者択一を迫る問いの立て方である。しかし、これまで見てきたように、稲盛も永守も、このようなデジタルな思考には与しない。

どちらかが優先するのではなく、どちらも重要なのである。「Or（か）」ではなく、「And（と）」の発想である。まさに渋沢栄一の「論語と算盤」に通じる日本的経営思想の基軸である。世界の経営の最前線でも、最近ようやく、社会価値と経済価値の両立を目指すCSV経営が注目されている。

資本主義は、経済価値を優先するデジタルな発想に取り憑かれて、機能不全に陥ってしまった。『華麗なるギャツビー』など、20世紀のアメリカ資本主義の狂乱を描いた作家F・S・フィッツジェラルドは、次のような名言を残している。

「第一級の知性とは、両極端の考えを同時に併せ持ち、かつ、それらを正常に機能させることのできる人間である」

稲盛は、この名言を引用して、以下のように語っている。

「大胆さと細心さは相矛盾するものですが、この両極端をあわせもつことによって初めて完全な仕事ができます。この両極端をあわせもつということは、『中庸』をいうのではありません。ちょうど綾を織りなしている糸のような状態を言います。経糸が大胆さなら緯糸は細心さというように、相反するものが交互に出てきます。大胆さによって仕事をダイナミックに進めることができると同時に、細心さによって失敗を防ぐことができるのです」（『京セラフィロソフィ』）

西陣織は、経糸と緯糸が織りなす芸術である。温かい光沢のある風合いと、先染め織物特有の深みと渋みのある質感を醸し出す。稲盛流とは、この西陣織の伝統にも通じる京都発の経営哲学である。稲盛はそれを、京都を超え、日本、そして世界に布教していく。

たとえばＪＡＬフィロソフィには、「対極をあわせもつ」という項目がある。これは京セラフィロソフィやＫＤＤＩフィロソフィには盛り込まれていない言葉である。合理性と人間性という相反する性質をあわせもち、どちらかに偏っても、単に真ん中（中庸）であってもＮＧ。ときには合理的に、ときには人間らしくといったように、対極の性質を使い分けることが重要だと教える。

逆張りの経営

永守もＴＰＯに合わせて、両極端を使い分けるワザに長けている。たとえば、夢やロマンと危機意識を、相手のキャリアに合わせて次のようにアレンジして語りかけるという。

・一般社員：危機意識30％、夢やロマン70％
・主任クラス：危機意識50％、夢やロマン50％
・部課長クラス：危機意識70％、夢やロマン30％

・役員クラス：危機意識90％、夢やロマン10％

さらに、相手の自信のレベルに合わせても、対応を巧みに使い分ける。『「人を動かす人」になれ！』のなかで、「人を動かす秘訣は、麦踏みと同じ」という持論を展開している。麦がしっかりと根を張り始めたなら、踏みつけてさらにたくましくする。一方、まだ根が張っていない麦の芽には、感動、感激といった肥やしを与えることで、自信というたくましい根が張るのだという。

世の中の逆張りをするのも、永守経営の流儀である。たとえば、チームワークや協調性を重視する最近の風潮に対して、それでは決断力、指導力が鈍ると苦言を呈する。日本の社会にはプロの経営者を育成する仕組みがまったく根付いていないとも批判し、若いうちからの英才教育の必要性を説く。また、前述したコロナ禍での筆者との対談のなかでも、「危機の時こそ、リーダーはチャンスを探し、夢を語れ」と永守節を力説していた。

動的平衡

世の中の常識に流されない、という点で、二人の経営思想は共通している。しかし、それは「非」常識でも「超」常識でもない。稲盛は、松下幸之助と同様に、「素直なこころ」の大切さを説く。何にもとらわれない心だ。永守は、原理原則にしたがって、当たり前のことを当たり前にやっていくことが経営の極意だと語る。

欧米流の弁証法は、テーゼ（正）に対するアンチテーゼ（反）を立て、さらにそれらを統合（ジンテーゼ・合）する新しい地平を目指す。アウフヘーベン（止揚）と呼ばれる論理的ジャンプである。

それに対し、稲盛流と永守流は、テーゼもアンチテーゼも並立させ、両方が織りなす複雑系を是として受け入れる。西田哲学でいうところの「絶対矛盾的自己同一」の世界である。あるいは、福岡生物学でいうところの「動的平衡」の世界である。まさに京都生まれの経営哲学ならではといえよう。

そして、デジタルな二律背反を超えたこの「和」の思想こそ、新常態に向けて、世界が注目する新しい理念となりうるはずである。

第Ⅱ部

「盛守」経営の解明

第4章 アメーバ経営の本質

稲盛DNAの二重構造

稲盛のすごさは、企業創生と企業再生を3度実現してみせた点である。世界企業となった京セラの創業、日本電信電話公社（現・日本電信電話株式会社〈NTT〉）の対抗軸としてのKDDIの創業、そして日本のフラッグキャリアJALの再生。部品メーカー、通信会社、そしてエアラインというまったく異なる業界で、ケタ外れにスケールの大きいドラマを1代で演じた稀代の経営者である。

しかも、どのケースにおいても、稲盛経営の本質はまったくブレることがない。いずれの企業にも、稲盛DNAがしっかりと組み込まれている。生物のDNAがそうであるように、この稲盛DNAは2つの鎖がらせん状により合わさって構成されているように見える。

1つの目の鎖がフィロソフィ、2つ目の鎖がアメーバ経営だ。しかし、それだけでは、この2つの鎖がどのような役割を果たしているのかがわからない。そこで、稲盛が心酔する中村天風にしたがって、人体にたとえてみると、次のようなメタファーが思い浮かぶ。

フィロソフィは、人体でいえば「間脳」にあたるといえよう。左右の大脳半球の間、すなわち中心部に位置し、感覚神経が集中しシナプスを形成している視床と、恒常性（ホメオスタシ）の中枢である視床下部で構成されている。いわば自律神経の中枢である。企業の自律的な活動を統合する役割を担っている。

一方のアメーバ経営は、体中に張り巡らされた自律神経にたとえられよう。循環器、消化器、呼吸器などの活動を調整するために、24時間働き続けている神経群である。体の活動時や昼間に活発になる交感神経と、安静時や夜に活発になる副交感神経で構成されている。そしてその2つのバランスをそこなうのが「自律神経の乱れ」だ。アメーバ経営は、このように企業の自律的な働きを促す役割を担っている。

フィロソフィがなければ、企業は統合的には動けない。一方、アメーバ経営がなければ、企業は自律的な動きがとれない。前述したように、稲盛経営の神髄は、統合と分散、規律と自律という二項対立を二項合一に包含していく懐の深さにある。そのための仕組みが、フィロソフィとアメーバ経営なのである。

多くの企業は、立派な理念を掲げている。たとえば、筆者がかつて所属していた三菱グループは、三綱領を謳う。所期奉公、処事光明、立業貿易の３つである。辞めて30年以上たった今でも覚えているので、たいした洗脳力だ。しかし、一人ひとりの三菱パーソンがどこまで自分ごと化しているかは、はなはだ疑問である。

また、ＭＶＶに因数分解している企業も大きい。Mission（使命）、Vision（将来像）、Value（価値観）の３つである。ただし、ホームページには立派な言葉が並んではいても、そもそも経営幹部すら、その中身を自分の言葉で語れる人は少ない。ましてや現場の人間にとっては、そらぞらしいきれいごとに聞こえてしまう。

稲盛経営では、「一人一人が経営者」と叩き込まれる。そしてそのためには、一人ひとりが「渦の中心になれ」と教えられる。ＪＡＬ再生劇では、「ウズチュー」という通称で、新しい行動原理として現場に埋め込まれていった。

もちろん、精神論だけでは企業は動かない。そこで実践論としてアメーバ経営という仕組みが準備されている。この両者が表裏一体となって初めて、稲盛経営は目指すべき未来に向かって自律的かつ統合的に動き出すのである。

実践哲学としてのフィロソフィ

では、まずフィロソフィを俯瞰してみよう。いずれの企業も、京セラフィロソフィ、ＫＤＤＩフィロソフィ、そしてＪＡＬフィロソフィが、主旋律となってリフレインし続ける。そこには当然、それぞれの企業ごとに異なる信念が織り込まれている。

たとえば京セラでは、「手の切れるような製品をつくる」という思いだ。京セラの製品は、「触れれば手が切れてしまうのではないかと怖くなるくらい非の打ちどころのないもの」でなければならない。

そこにはさらに、「製品の語りかける声に耳を傾ける」という虚心坦懐な姿勢が求められる。製品への深い思い入れがあって初めて「声」が聞こえてくるという。そのためには、「自分の製品を抱いて寝たい」と思うくらいの愛情を注がなければならないと教えられる。

ＫＤＤＩフィロソフィは「つなぐのは思い、つなぐのは笑顔」という言葉から始まる。ヒトとヒトとをつなぐことを生業としてきた通信キャリアらしい思いが込められている。ＩｏＴの時代の到来により、今後はヒトとモノ、モノとモノとが交感する世界を演出していく必要があるだろう。

ＪＡＬフィロソフィでは、「最高のバトンタッチ」が謳われている。

「お客さまに安全かつ快適な空の旅を提供するために、スタッフ同士でバトンを繋ぐように、全員でお客さまに尽くすこと。社員一人一人が『最高のバトンタッチ』を意識し、職種を超えた連携を通じて、より良いサービスを提供できるように取り組んでいます」

ＪＡＬのサービスレベルが、以前に比べて見違えるほどよくなったのは、このフィロソフィが全員に浸透したためである。

一方、この3社のフィロソフィには、多くの共通点もある。たとえば各社とも「心」を起点としている。「素直な心」「美しい心」「感謝の気持ち」など。「利他の心」も3社の共通軸となっている。いずれも経営哲学という以前に、人生哲学の色彩が濃い。

経営の原則論も、「公明正大に利益を追求する」「お客様第一主義を貫く」「高い目標をもつ」などが共通に謳われている。仕事についても、「原理原則に従う」「地味な努力を積み重ねる」「自ら燃える」「能力は必ず進歩する」「小善は大悪に似たり、大善は非情に似たり」などが、いずれのフィロソフィにも盛り込まれている。

京セラフィロソフィにはなく、ＫＤＤＩとＪＡＬのフィロソフィに共通している項目が、1つだけある。「スピード感をもって決断し行動する」だ。ベンチャー精神が旺盛な京セラでは、当たり前の行動原理だったはずだ。しかしエリート意識が強く、大企業病に陥りやすい両社では、あえて肝に銘じる必要があったのだろう。

ＮＴＴから転身し、ＫＤＤＩの４代目社長となった小野寺正は、以下のように述懐している。「稲盛さんの口癖は『フィロソフィの必要性を一番理解できないのが君らのようなインテリだ。中身は常識的なことを言っており、表面だけ読むと「そんなのは当たり前だ」となるが、実践できている人はほとんどいない』。これは本当にその通りで、私自身もそうだった。その真価がおぼろげながら見えてきたのは、ＫＤＤＩの社長になった頃だろうか」（『日本経済新聞』「私の履歴書」２０２０年10月29日付朝刊）

この言葉に、フィロソフィの本質が凝縮されている。フィロソフィは、「当たり前のことを、いかに実直に実践するか」こそが、問われているのである。小野寺は、続けて次のように語る。「字面で分かったつもりになるのではなく、フィロソフィの中身を自分の血肉とすることで、迷った時や先行きが混沌とした時に、何をすべきか、経営や人生の針路が見えてくることがある」（同前）

人を基軸としたアメーバ経営

アメーバ経営は、稲盛経営のもう１つの代名詞だ。フィロソフィがWhyとWhatを語ったものであるのに対して、こちらはHowを明確に示している。

アメーバ経営は、簡単にいってしまうと、企業を6～7人の小集団（アメーバ）に分け、アメーバごとに時間当たり採算の最大化を図るというものだ。そこには、「売上最大、経費最小」で経営をシンプルにとらえるという稲盛実学の基本理念が貫かれている。

このアメーバ型組織は、世界の先進企業がこぞって採用している。たとえばグーグルでは1チームの構成員は5人を原則とする。バスケットボールのチームのように、全員がゲーム展開に応じて、臨機応変に動けるようにするためだ。またアマゾン・ドット・コムの「2ピザ・ルール」もよく知られている。チームがデリバリーのピザを注文する際に、2枚で済む人数に絞る。アメリカのピザは大きいが、5～7人というところだろう。

稲盛は、アメーバ経営には次の3つの目的があると語る（『アメーバ経営』）。

①市場に直結した部門別採算制度の確立
②経営者意識を持つ人材の育成
③全員参加経営の実現

このなかで、最大の狙いは②にあったと、稲盛はのちに述懐している。

「孫悟空のように、体の毛を抜いてぷっと吹いたら自分の分身が何人もできるみたいなことができればいいのにと真剣に考えた」（『ダイヤモンド・ハーバード・ビジネス・レビュー』2015年9月号）末に、生まれてきたアイデアだったという。

アメーバ経営を実践するうえで、いくつかの基本ルールがある。

第一に、社員一人ひとりが、自分が所属するアメーバの主役という自覚を持つこと。それによって、各自が仕事を「やらされごと」から「自分ごと」へととらえ直すことができる。そしてこれこそが、経営者意識を高める究極の仕組みとなる。

第二に、市場に直結した部門別時間当たり採算制度を確立すること。部門別に収入と経費をリアルタイムに把握することは、管理会計の基本である。そこに時間軸を入れることで、職場に緊張とスピード感を生み出すところがアメーバ経営の秀逸な点である。

第三に、この時間当たり採算の最大化のために、各部門が知恵を発揮すること。そのためには当然ながら、売り上げを増やす、経費を減らす、時間を短縮する、という3つの連立方程式を解かなければならない。

なかでも肝となるのは、値決めだ。アメーバ経営では「値決めは経営」と教えられる。そして値決めとコストダウンを連動させる。そのためには、営業と製造が市場に直結して連携していかなければならない。

欧米流経営管理の罠

製造業では長らく、製造にかかる標準原価をあらかじめ算定するという標準原価方式がとられてきた。さらに、ハーバード・ビジネススクールのロバート・キャプランが１９８４年に発表した論文が契機となって、ＡＢＣ（Activity Based Costing：活動基準原価計算）、すなわち活動量に合わせて費用を分配するという方式が生み出された。これによって、間接費、さらにはサービス業の標準原価を割り出すことが可能になった。そしてこれらの標準原価と実際原価との差異を分析してコスト削減を図ることが、「科学的な」経営手法であるとされた。

しかし、このような分析過多の欧米流の手法が、日本企業の競争力を弱める大きな要因の１つになった可能性が高い。最大の弱点は、所詮コストの積み上げ方式でしかない点である。

付加価値はコスト＋プラスアルファで決まるのではなく、市場価格とコストの差によって決まるのである。ボリュームゾーンは、コスト競争力の高い新興国からの追い上げによって、市場価格に合わせてコスト構造そのものを抜本的に組み替えない限り、利益は出ない。

欧米プレーヤーのようにプレミアムゾーンで勝負しようとすれば、付加価値を市場に訴求して価格を上げることから始めなければならない。しかし日本企業の多くはそのようなマーケティングスキルをもたず、価格を上げられないまま、高品質にもかかわらず、利益が出ない構造に陥っていったのである。

日本企業がアメリカ型会計学に飛びついてしまったもう1つの失策が、ＢＳＣ（Balanced Score Card：バランスト・スコアカード）の導入である。同じくロバート・キャプランらが１

992年に発表した管理会計の仕組みである。戦略やビジョンを財務のみならず顧客や従業員など多角的な視点で定量的に分析し、業績評価に結び付けようというものだ。

当時、日本に限らず、流行りもの好きの企業が飛びついたが、その結果、実際に業績を上げたという話は聞いたことがない。あまりにも複雑すぎることと、そもそも数値で管理しようという発想自体が、人間に対する根本的な洞察が欠如しているためだ。

アメーバ経営は、このようなアメリカ型管理手法の本質的な欠陥を超える手法である。まず、市場価格（売値）から出発し、コストはそれに合わせて現場がつくり込まなければならない。稲盛はアメーバ経営の優位性を、次のように語る。

「アメーバ経営の製造部門では、標準原価方式のように原価のみを追求するのではなく、メーカー本来の姿である、自らの創意工夫により製品の付加価値を生み出すことに主眼が置かれている。この点からも、アメーバ経営は、従来の管理会計の思想を根底から覆す、斬新な経営システムといえる」（『アメーバ経営』）

また、BSCのような複雑な計数化によって、人間を操り人形のように操縦しようという思想にも真っ向から背を向ける。アメーバ経営の2つの大原則に逆行するからである。まず「経営はシンプルに」という原則に反する。そして、成果主義は人の心を大切にする稲盛哲学に反するからである。

「私はかねてから、経営者というのは、人間心理について優れた洞察力が必要だと考えている。（中略）成果主義では、実績が悪くなり、報酬が減った場合に、多くの社員が不満や恨み、妬みの心を持つことになるので、長い目で見ると、かえって社内の人心を荒廃させてしまうことになる。（中略）アメーバ経営では、短期の成果で個人の報酬に極端な差はつけていないが、みんなのために一生懸命働き、長期にわたり実績をあげた人に対して、その実力を正当に評価し、昇給、賞与や昇格などの処遇に反映させている」（同前）

もちろんアメーバ経営にも、課題は残されている。この点は本章の最後で考察してみることにしたい。

成功方程式

稲盛経営の本質を、シンプルに示した方程式がある。

「人生・仕事の結果＝考え方×熱意×能力」

このうち「熱意」と「能力」は0点から100点まであり、「考え方」はマイナス100点からプラス100点まであるという。しかもそれらの積によって、結果が出てくる。

能力が高いに越したことはないが、それだけでは役に立たない。普通の能力しかなくとも、誰よりも熱意をもって努力すれば、はるかにすばらしい成果を生み出せる。

しかも、能力を「未来進行形」でとらえることが重要だと説く。

『何としても夢を実現させよう』と強く思い、真摯な努力を続ければ、能力は必ず向上し、道は開ける」（『アメーバ経営』）

「考え方」が正しく、「熱意」が備われば、能力を高め続けることができる。言い換えれば、能力は独立関数ではなく、考え方と熱意の従属関数なのである。

「熱意」について、稲盛は人を3つのタイプに分ける。火を近づけると燃え上がる可燃性、火を近づけても燃えない不燃性、自分で勝手に燃え上がる自燃性の3つだ。

「不燃性の人間は、会社にいてもらわなくてけっこうだ」と、よく部下に語りかけたという。

「キミたちは、自ら燃える自然性の人間であってほしい。少なくとも、燃えている人間が近づけば、一緒に燃え上がる可燃性の人間であってもらいたい」（『生き方』）。

では、どうすれば「自燃性」の人間になれるか。その最大にして最良の方法は、「仕事を好きになる」ことだと説く。

「どんな仕事であっても、それに全力で打ち込んでやり遂げれば、大きな達成感と自信が生まれ、また次の目標へ挑戦する意欲が生まれてきます。そのくり返しの中で、さらに仕事が好きになります。そうなれば、どんな努力も苦にならなくなり、すばらしい成果をあげることができるのです」（同前）

とはいえ、結果を最も大きく左右するのが「考え方」である。いくら能力と熱意が高くとも、考え方を誤ると、大きくマイナスの結果を生んでしまうことになる。

稲盛は「能力」を「才能」と置き換えてもいいという。そして「才子才に倒れる」ことを戒める。才能を活かせるかどうかは、「考え方」いかんだという。

「考え方」は「心」とも読み替えられる。「良い心」か「悪い心」かで、180度異なる結果を生んでしまう。では、「良い心」とは何か？　稲盛は『京セラフィロソフィ』のなかで、10の特性を挙げている。

・常に前向きで、建設的であること
・みんなと一緒に仕事をしようと考える協調性を持っていること
・明るいこと
・肯定的であること
・善意に満ちていること
・思いやりがあって、優しいこと
・真面目で、正直で、謙虚で、努力家であること
・利己的でなく、強欲でないこと
・「足る」を知っていること

・感謝の心を持っていること

絶対矛盾的自己同一

前述の成功の方程式、そして10の特性はすべて、3社の「フィロソフィ」に盛り込まれている。ただし、「考え方」を知っているだけでは意味がないという。

「知識として得たものを血肉化する、つまり、自分の肉体にしみ込ませ、どんな場面でもすぐそのとおりの行動がとれるようにならなければいけません」(『京セラフィロソフィ』)

そしてアメーバ経営が、成功方程式を仕事のなかで自律的に体得していく仕掛けとなるのである。その意味では、この成功方程式こそ、フィロソフィとアメーバ経営に通底する稲盛経営の公理だといえよう。

これはまた、実は古今東西の教えに通じる公理でもある。たとえば、プラトンは価値の源泉は、真善美の3つだと説いた。真は「能力」、善は「考え方」、美は「熱意」に近いものだろう。またアリストテレスは、人を動かすには、エトス、パトス、ロゴスの3要素が不可欠だと説いた。エトス＝考え方、パトス＝熱意、ロゴス＝能力と読み替えることができる。

このようにギリシア哲学が要素分解したものを、統合的に再構築したのが第I部で紹介した西田幾多郎である。西田は、真善美は究極的には同一のものの3つの側面にすぎないと論じる。

「自己の知を尽くし情を尽くした上においてはじめて真の人格的要求すなわち至誠が現れてくるのである」（西田幾多郎『善の研究』弘道館、1911年）

稲盛の成功方程式は、この西田哲学の教えに最も近いものといえよう。稲盛経営も、前述の3つの要素が掛け算されて1つの「至誠」が生まれる。西田的にいえば「絶対矛盾的自己同一」の世界である。

元祖ホロン経営

これまでも、次世代型の組織モデルが数々提唱されてきた。代表的なものとしては、ホロン型やティール型がある。結論からいうと、アメーバ型は、これらのモデルを先取りしたものだといえよう。

「ホロン」はハンガリー出身の小説家アーサー・ケストラーがつくりだした言葉だ。「全体子」と訳され、「個と全体の有機的調和」を意味する。生物は環境の変化に柔軟に対応しながら各細胞が自律的に活動を行いながら、全体の調和を保っている。

このホロンという概念を企業経営に当てはめたものが、ホロン経営である。筆者の亡父・名和太郎（当時、朝日新聞編集委員）が『ホロン経営革命』（日本実業出版社、1985年）で提唱したモデルだ。組織全体と組織で働く各個人がそれぞれの役割を担い、環境の変化に対応しながら全体・個ともに活かす企業活動を目指す。

ホロン経営は、大きく次の３点において優れている。

①知識生産に適した組織・仕事に適していること
②複雑な環境への適応や異なる事業分野にまたがる仕事に適していること
③企業内企業家を育成すること

これらはまさに、アメーバ経営の特徴そのものでもある。名和太郎自身、ホロン経営のモデル企業として京セラを挙げている。

生命体としてのティール組織

最近は、「ティール型」が注目されている。マッキンゼー・アンド・カンパニー時代の筆者の同僚フレデリック・ラルーが『ティール組織』（英治出版、２０１８年）で提唱した組織モデルだ。

ラルーは、組織形態の進化を以下の５つの色で表現している。

・Red（赤）：衝動型（例　オオカミの群）
・Amber（琥珀）：順応型（例　軍隊）
・Orange（オレンジ）：達成型（例　機械）

・Green（緑）：多元型（例　家族）
・Teal（青緑）：進化型（例　生命体）

20世紀はオレンジ型組織が優位だったが、21世紀にはグリーン型やティール型が目指されていく。ただしグリーン型は人間関係を重視するユートピア的な世界だが、それだけでは厳しい現実からの逃避行になってしまう。そこで、環境変化に応じて個も全体も共進化していくティール型組織が望ましいと説く。

ティール型組織は、３つの要件を満たさなければならないとされる。すなわち、①自主経営（セルフマネジメント）、②ホールネス（全体性）、③進化する志（エボリューショナリー・パーパス）の３つである。

このモデルは新しそうに見えるが、実はホロンの焼き直しにほかならない。そして日本では「アメーバ組織」として半世紀以上、実践されてきたものである。稲盛経営モデルがいかに先進的で、かつ世界に通用するものであるかを、改めて実感させられる。

宇宙の2つの法則

ここまで、稲盛経営の神髄を概観してきた。フィロソフィとアメーバ経営を軸とした稲盛経営は盤石に見える。しかし、一方で、まだ解けていない課題も垣間見える。ここからはフィロソフィ、アメーバ経営それぞれにとっての本質的な課題を取り上げたい。

フィロソフィにおいては、そもそも「正しさ」「善」とは何かを問い続けなければならない。たとえば、20世紀、あるいは昭和においては、「進歩」そして「成長」が目指されてきた。その時代における正しさであり、善であったといえよう。しかし、このまま欲望経済が暴走し、デジタル経済が成長を加速させていくと、成長の限界が現実のものになる。いかに持続的成長へと軌道修正するかが、地球規模で問われている。

フィロソフィにおいても、「高い目標を持つ」が掲げられている。しかしその目標は、規模や財務的な数字だけであってはならない。経済的な価値とともに、社会的な価値の実現が求められる。より正確にいえば、社会的な価値の実現こそが「大義」であり、経済的な価値、すなわち利益はそれを実現するための手段でしかない。だとすれば、価値観が多様化していくなかで、社会的な価値とは何かを真摯に問い続けなければならないだろう。

稲盛は、宇宙には2つの法則があるという。成長発展の法則と調和の法則だ。やみくもに成長だけを追求すると、宇宙のバランスが崩れる。その先にあるのは衰退と破局だ。それを避けるためには、「成長を重ねるにしたがって『調和』が大切になる」（『心。』）という。

それは企業にとどまらず、国家、そして個人の課題でもある。

「いまこそ経済成長至上主義に代わる新しい国の理念、個人の生き方の指針を打ち立てる必要がある」(『生き方』)

この重要かつ最も今日的な課題については、終章でさらに論じることにしたい。

自律から異結合へ

アメーバ経営にとって残された課題は、いかに生命体のような進化を続けられるかということである。同時に、企業である以上、それによっていかに経済性を獲得し続けるかということである。

組織と経済性の関係は、これまで大きく2軸でとらえられてきた(図1)。縦軸は規模の経済(Economies of Scale)と範囲の経済(Economies of Scope)。大企業やコングロマリット企業が目指す経済性である。一方、横軸はスキルの経済(Economies of Skill)とスピードの経済(Economies of Speed)。中小企業やベンチャー企業が優位性をもつ経済性である。

通常、企業は成熟するにつれ、縦軸の方向に向かいがちだ。しかし、その結果、スキルの独自性やスピードを犠牲にしてしまう。図でいえば左上のゾーンだ。いわゆる大企業病である。

しかし京セラは、中小企業やベンチャーとしての強みを保ち続けることができた。それは横軸の方向に進化できたからである。図の右下のゾーンである。一方で、どうしても規模や範囲の経済は犠牲になりがちだ。結果的に、それぞれが自律分散した中小企業の集団になってしま

図1　創発型（Collective Brain）ネットワーク組織への進化

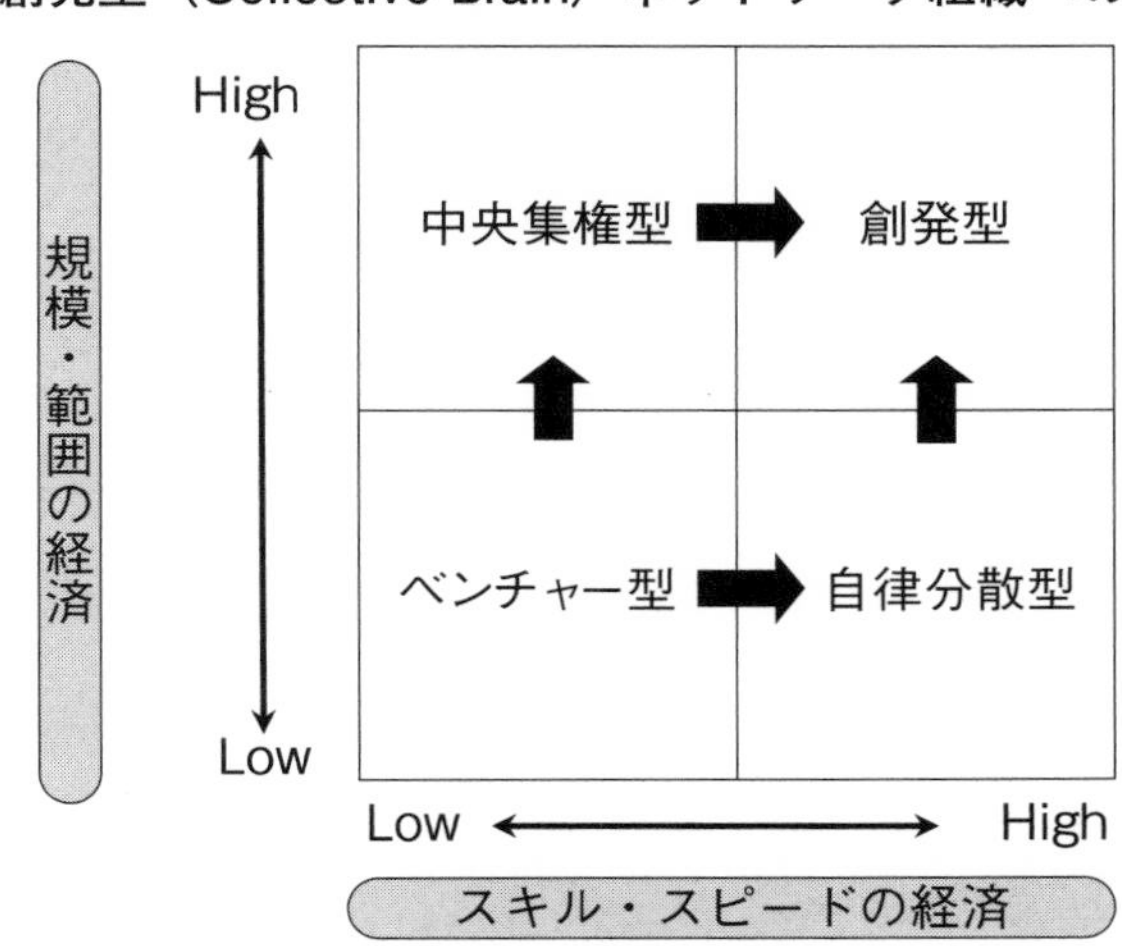

う。これがアメーバ経営の落とし穴だといわれている。

この弊害を稲盛は当初から熟知していた。アメーバ経営では、部分最適解に陥らないよう、常に「会社全体のために」という意識を強くもつことが求められている。

「リーダーは、同じ会社で働く同志として、会社全体の視野に立ち、『人間として何が正しいのか』という1点をベースに判断しなければならない。自らのアメーバを守り、発展させることが前提だが、同時に、会社全体のことを優先するという利他の心を持たなければアメーバ経営を成功することはできないのである」（『アメーバ経営』）

ここでも、個と全体のウィン‐ウィンを目指すという高度なバランス感覚が求められている。そして実はそれこそが、ホロン型、ティール型組織の基本であり、アメーバ経営の要諦でもある。逆にいえば、前述のような落とし穴にはまるようでは、アメーバ経営の本質をよく理解できていないことになる。

利害対立以上に深刻な課題は、いかにアメーバを超えて知恵を流通させるかである。経済学者のシュンペーターは、イノベーションは「新結合」から生まれると看破した。筆者はこれを「異結合」と読み替えている。異質な知恵が結合することがカギとなるからだ。

異結合は、同質的なアメーバのなかからは生まれない。アメーバという細胞の壁を越え、さらには、自社という組織の壁を越えて、自由に知恵を結合させる場が必須となる。アメーバ組織は、表面積が大きいのが利点ではあるものの、それぞれの小集団が自分の持ち場を超えて自由自在に動き回ることには物理的な限界がある。

京セラの現社長・谷本秀夫は、最近のインタビューで次のようにコメントしている。

「京セラは1959年の創業から事業拡大でアメーバがどんどん分かれ、各事業部門に上意下達の文化ができた。製品を大量生産していた高度成長期はそれが機能していた。だが今は、オーダーメードに近い対応が必要だ。今の体制では事業本部が別々に経営し、伸びる事業に伸びない事業から人材を回すといったことが機動的にできない」(『日本経済新聞』2021年3月3日付朝刊)

自律分散型のアメーバ経営の限界が、さしもの京セラにおいても顕在化し始めているようだ。そこで2021年4月から、16の事業を「コアコンポーネント」「電子部品」「ソリューション」の3部門（セグメント）に集約し、それぞれにセグメント長となる取締役をおくという。「組織管理ではアメーバ経営を続けるが、今後はアメーバをくっつけたり離したりして、リソースをやり取りする必要がある。セグメント長が自分の部門内で人を回せるようにする」（同前）

しかし、それだけではまだ、セグメントを超えた自在な「異結合」を生み出すことは困難だ。この課題を突破するツールが、デジタルネットワークである。デジタルを駆使すれば、他のアメーバのみならず、社外の異質なプレーヤーとも自由自在につながり、共創関係を構築することができる。図1でいえば、右上の「創発型（Collective Brain）」というトポロジーである。

アメーバ経営は、このようにデジタルのパワーを活用すれば、二項対立から二項合一へと大きく前進することができるだろう。

第5章　永守戦略の神髄

永守3大精神

永守は自らの人生哲学と経営哲学を、「3大精神」として掲げている。

①「情熱、熱意、執念」

ほとばしる情熱、沸き立つ熱意、困難に立ち向かう執念の3つを指す。同名の自著のなかで、永守は「『運』と言うものは、働いて、働いて、引き寄せるものだ」と語っている。また次のような名言も残している。

「物事を実現するか否かは、まずそれをやろうとした人が〝できる〟と信じることから始まる。自ら〝できる〟と信じたときにその仕事の半分は終了している」（『人を動かす人」になれ！』）

永守も稲盛同様、人間には自然性、可燃性、不燃性の3タイプがあると考えている。ただし自燃性人財を、永守らしく「マッチ人間」と呼ぶ。このマッチ人間を10％に増やし、消火（不燃性）人間を10％以下にすれば、企業を大きく変身させることができるようになると語る。

では、どうすればマッチ人間になれるか？　永守は、答えは1つだという。「志を高くもつことや」。まさに「始めに志ありき」である。

②「知的ハードワーキング」

1つ目の念(おも)いを実現するためには、異次元の働き方が求められる。「『知』と『時間』とを組み合わせて戦えば、最後は必ず勝つことを信じて行動する」（『挑戦への道』）。

かつて本田宗一郎は、次のような名言を残している。

「時間だけは神様が平等に与えて下さった。これをいかに有効に使うかはその人の才覚であって、うまく利用した人がこの世の中の成功者なんだ」

永守も、ハードワーキングこそ「企業成長の原理原則」と語る。「アメリカ（そして最近の中国）には、日本人を凌ぐハードワーキングによって自らのロマンに挑戦している若い企業人が数多くいる」（同前）。

③「すぐやる、必ずやる、出来るまでやる」

本田宗一郎は、「やってみもせんで」という名言で知られている。つべこべと御託を並べる前に、すぐやってみること、というものだ。永守はそれに加えて、「出来るまでやり続ける」とする。いかにも永守らしい。執念である。

第2章でも紹介したように、「私、失敗しないので」というドクターX・大門未知子のセリフを、永守は好んで口にする。「なぜかって？　成功するまで絶対にギブアップしないからや」。

永守は、即断即決をモットーとしている。本人によれば、1つの決断にかかる時間は3秒。それを毎日300件はこなすという。もちろん、そのすべてが正解であるわけがない。「相撲と同じで、15回の勝負のうち8勝7敗なら勝ち越しや」と言う。経験知の蓄積とともに勝率は高くなり、最近は13勝2敗レベルとも語る。

「やっぱり、失敗はしているのですね？」と思わず意地悪な質問をすると、「失敗からしっかり学ぶことができれば、それは確実に成功への道につながるんや」と切り返された。

シリコンバレーでは、グーグルが失敗のたびにお祝いをするという話が有名だ。失敗から学び、ピボット（方向転換）をする重要なきっかけになるからである。永守はそれを50年間貫いてきている。だから、局地戦では失敗もあるが、大きな勝負では勝ち続けているのである。

知的ハードワーキング

この3大精神のなかでも、永守経営を最も象徴するのが、「知的ハードワーキング」である。

創業当初は、「他人の2倍働く」ことをモットーとしていた。まさに物理的ハードワーキングである。

「現在の日本電産は、創業当初のような若さに任せたがむしゃらなハードワーキングというのは徐々に姿を消し始めています。しかし、ハードワーキングの看板を下ろしたわけではありません。肉体を酷使するハードワーキングから、少しずつ頭脳を酷使する『知的ハードワーキング』への移行を進めてきたのです」

永守が『情熱・熱意・執念の経営』のなかで、こう記したのが２００５年のことである。

そして、２０１６年、突然「２０２０年までに残業ゼロを達成する」と宣言。日本中をあっと驚かせた。しかし、よく聞いてみると、「ハードワークにさらに拍車をかける」という決意声明だったことがわかる。

『日経ビジネス』の編集長インタビューのなかで、「ハードワークすることが間違っているのではなくて、生産性が低いまま、長時間働くことが問題」と語っている。

「今の我々の生産性はドイツ企業と比べるとほぼ半分。だから生産性を2倍にしないと残業ゼロにならないということですね。残業ゼロありきではなく、まず生産性を2倍にしようと言っている。生産性を上げないままで残業をゼロにしたら、余分に人を採用するか、社員の年収を減らすしかない。どちらにしても失敗です」（『日経ビジネス』２０１８年3月30日号）

生産性を2倍にするためには、英語力とマネジメント力を抜本的に底上げする必要がある。そのために1000億円を投資するという。

永守はこの投資決定前から布石を打っていた。2015年に永守経営塾を開校。2016年には、永守自身が学長を務める「グローバル経営大学校」に格上げ。2017年には本社の前に10階建ての「グローバル研修センター」を開設。筆者も当初から、グローバル経営大学校のリードコーディネーターとして、英語で次世代経営者研修を実施している。

日本では、産官学とマスコミが一体となって、「働き方改革」を国家アジェンダとして進めている。しかし、単に残業をなくすだけでは、日本の競争力は地に落ちることは目に見えている。「平成の失敗」の愚挙を繰り返さないためにも、働き方改革ではなく、生産性の倍増こそを目指さなければならない。そのためには、デジタル技術をテコとした人財スキルの抜本的な高度化こそが、本質的な課題となる。

永守の「知的ハードワーキング」は、そのような異次元の人財成長実現に向けた新たな挑戦に突入しているのである。

永守3大経営手法

永守経営の最大の特徴は、そのわかりやすさにある。稲盛が深淵な宗教や哲学を持ち出すのに対して、永守は徹底して平易な生活の知恵をメタファーとして使う。

その真骨頂を発揮しているのが、永守3大経営手法である。「家計簿経営」「千切り経営」「井戸掘り経営」の3つだ。

①「家計簿経営」

収入に見合った出費をすることを指す。賢い主婦・主夫の家計と同じだ。景気の動向に応じて収入が変化すれば、それに見合った生計を立てる。そして子どもの教育やマイホームなどといった投資のためにしっかり貯蓄する。会社経営も経費を収入の範囲内に収める一方、将来への投資も怠ってはならない。これは経営の「基本のキ」である。

永守は、利益10％未満の事業は赤字とみなす。景気悪化に耐えられず、将来への投資もままならないからだ。

日本電産の毎月の経営会議では、それぞれの事業責任者の前に3色の旗が並ぶ。緑、黄、赤だ。10％という最低利益ラインに達しないと、赤い旗の前に座らなければならない。最近の緩い風潮のなかでは、ハラスメントともいわれかねない光景である。しかし日本電産の幹部は、その屈辱を反転のばねとして、赤からの脱却を心に誓う。

一方、超優良事業を目指すのであれば、緑では物足りない。そのような猛者の声を受けて、永守はゴールドの旗をつくった。「いずれプラチナも用意せなあかんな」と、永守は冗談ともつかない口調で語る。筆者が「まるでアメックスカードですね」と思わず返すと、「黄色や赤色ではカードホルダーにもなれへんで。事業免許取り消しや」と笑う。これが、それぞれの事業責任者を自律経営に向かわせる永守一流の手法である。

②「千切り経営」

問題を小さく切り刻んで対処することである。どんなに難しい問題も、細かく要素分解すれば解決がしやすくなる。

これは、筆者がマッキンゼー・アンド・カンパニーで徹底的に仕込まれた問題解決の基本ワザでもある。経営課題は複雑系の産物だ。大きな課題ほど、丸ごと取り組むとこちらがつぶれてしまう。問題の構造をひもとき、根幹となる要素を抽出する作業が肝となる。これをマッキンゼーでは、問題の構造化（ストラクチャリング）と呼んでいる。その方法論は、拙著『コンサルを超える　問題解決と価値創造の全技法』（ディスカヴァー・トゥエンティワン、2018年）に示したとおりである。

永守は、マッキンゼーのような手の込んだ手法は使わない。しかし千切り経営は、まさに経営コンサルのように問題解決の核心を見事に言い当てたものだ。日本電産の経営幹部は、一見手に負えそうもない実際の経営問題を千切りにしていく問題解決の専門家集団である。

永守流イノベーションの神髄

③「井戸掘り経営」

3大手法のなかでも最も永守らしく、永守流イノベーションの神髄である。

永守は、幹部研修の際に、自らの幼少期の体験にもとづいて次のように説明する。

子供のころ、母親は自分を背負って、毎朝、井戸に水汲みにいった。自分は幼心に心配して、そんなに汲んだら水がなくなってしまわないのかと、母親に尋ねてみた。すると母親は、「水は貯めておくと古くなるだけや。汲めば汲むほど、新しい水が湧き出るんや」と答えたという。翌朝井戸の中をのぞくと、確かに水はまた満タンになっていた。

経営も同じだ。変革のためのアイデアを常に出し続けること。アイデアは出し惜しみしていては、使いものにならなくなるだけだ。現状に満足することなく、貪欲に新しいことに挑戦しつづければ、アイデアはまさに井戸の水のように湧き出し続けるのである。

井戸といえば、松下電工（現・パナソニックライフソリューションズ社）には、創業以来、「掘り抜き井戸」という理念がある。地下水脈にまで到達するほど井戸を掘り進めれば、水は枯れることはない。事業も同様に、徹底して掘り抜けば未来が拓けるという精神だ。深化が探索に通底するという教えである。

前述のように、このところ、「両利きの経営」がバズワードになっている。こちらも産官学とマスコミが一体となって、両利きの経営こそが日本復活の切り札だと思い込んでいるようだ。スタンフォード大学のチャールズ・オライリー教授らが、『両利きの経営』(東洋経済新報社、2019年)で提唱したコンセプトである。企業は、既存事業の「深化」と新規事業の「探索」のどちらも実践しなければならないという。当たり前である。しかし、日本企業はそれを30年間やり続けて、「平成の失敗」を演じてしまったのである。どうして間違えたのか?

既存事業の深掘りと新規事業の探索を、別々にやってしまったからだ。同書が提唱していることを忠実に行った結果、既存事業は枯れ、新規事業はどれもモノにならなかった。

既存事業の周りを掘り尽くす(ずらす)ことで、その企業ならではのイノベーションのアイデアが生まれ、新たな事業がすくすくと育っていく。既存事業から離れたところでいくら薄っぺらな探索をしても、スケール感のある新規事業など生まれようがない。

本場のアメリカ西海岸の超優良企業の間では、「両利きの経営」はとっくに失敗の烙印が押されている。それを日本があたかもグローバルスタンダードであるかのようにあがめているのは、悲劇というより喜劇に近い。

永守は、このような浮ついた経営論には一切耳を貸さない。自らの50年間の経営体験に裏打ちされた実践知こそが、永守経営の主軸となる。「井戸掘り経営」は、日本、そして世界が学ぶべきイノベーションの本質論である。

永守3大経営手法は、第2章でも述べたように、子どものころの母親からの教えの産物ともいえよう。どれをとってもきわめて当たり前で、誰でも実践できる経営の基本原則だ。実際に日本電産は、この3つの経営の基本ワザを全社員に徹底することで超成長を遂げてきた。日本電産が買収した60数社の企業は、「3Q6S」という現場力と、この3つの経営力を移植することで、見違えるような成長企業に変身している。

永守は『情熱・熱意・執念の経営』のなかで、次のように語っている。

「会社の経営を究極まで突き詰めていくと、実に単純明快なことが導き出されます。それは、原理原則にしたがって、当たり前のことを当たり前にやっていくことで、これ以上でもなければ、これ以下でもありません。『継続は力なり』という言葉がありますが、一切の妥協や譲歩を許さず、誰にでもわかっている当たり前のことを、淡々と持続させていくこと以外に成功する極意も秘訣も存在しません」

これが「永守マジック」の正体である。実はどこにもカラクリはない。当たり前のことを徹底的にやりきることにこそ、永守経営の極意がある。

歩を「と金」にする経営

永守経営のもう1つの極意は、「変人術」である。といっても、「変な人」のことではない。文字通り、人を変えてしまう術のことである。

日本電産は、創業2年目の1975年、満を持して初めて新規採用に踏み切った。しかし待てど暮らせど一人も応募者が来ない。翌年以降も懲りずに続けていったが、応募してくる学生は若干名。いずれも三流大学出身、将棋でいえば〝歩〟の人財だったという。そこで永守は次のように考えた。

「〝歩〟の人財を確実に育てて〝と金〟にする。それが経営者である私の仕事だ」(『挑戦への道』)

その後、日本電産が成長の一途をたどり始めると、一流大学の学生も採用できるようになった。それでも、採用した側にも、採用される側にも〝金〟を目指すという熱意や執念がない限り、人は育たないと自らを戒める。

そもそも、能力の差はせいぜい5倍。しかし意識の差は100倍に広がるというのが永守の持論だ。たとえ能力が5分の1でも、意識が100倍になれば、20倍の結果を生み出せるという計算になる。

永守には、『「人を動かす人」になれ！』というベストセラーがある。そのなかで、社員の心に火をつける手法を、100項目にわたって惜しげもなく披露している。なかでも次の10の教えは、永守独特の「さび」が利いている。

1　一流、一番を目指すから、人がついてくる

6　「仕事ほどたのしいことはない」といえるか

11　「部下が使えない」というのは自分に問題があると思え

31　相手をこき下ろして闘争心に火をつける方法もある

43　部下には得意なことだけをやらせておけ

65　「一流への道は大きな苦痛を伴う」という原理原則を教え込め

70　チームワークばかり叩き込むと、決断力、指導力がにぶる

95　鍛え直し、上昇志向を植えつけるのがリーダーの仕事

98　人に嫌われたくないという本能を捨てろ！

100　夢やロマンで部下の未来を買え

いずれも、世の中の「いい会社」や「理想の上司」というイメージからは程遠い。そういえば、96番目には「世間の常識に押し流されるな」（同前）という項目が、しっかり盛り込まれている。同書のなかで、時代錯誤もはなはだしいと批判されながら、「ハードワーキング」と

いう看板を下ろさなかったことについて、次のように言及している。

「世間の常識に真っ向から対峙し、信念を貫き通した結果が『吉』と出るたびに、彼ら（筆者注：社員）との絆は確実に深まっていく。信念なき経営、世間の誤った常識にまどわされるような経営者のもとから、人は離れていくのだと思う」

今時流行らない根性論に聞こえるかもしれない。しかし「愛にもとづく厳しさ」にこそ、永守マジックの神髄がある。知れば知るほど、永守は実は天才的な「人たらし」でもある。

「ＩＱ（知能指数）だけでは人を動かせない」が永守の持論である。そして「ＥＱ（感性指数）」の重要性を説く。

「では感性の豊かさとは何か。これを一言でいえば、行動や言葉によって相手を感動させたり、感激させることである」

「相手と喜怒哀楽を共有することで共感や共鳴を呼ぶ、あるいは部下が苦しんでいたり、悩んでいるときには、それを深く読み取り、進んで救いの手を伸べる。ＯＡ化やＦＡ化が進展すればするほど、こうした人間的な面がより強く求められるようになる」

「近い将来、メカよりも人間に興味を示す技術者が大きな成果を上げる時代が、必ずやってくると信じている」（いずれも『「人を動かす人」になれ！』）

そのためには、「部下と同じ目線にまで下りていく」ことが必要だと説く。永守流に表現すれば、「相手の土俵にあがって、自分の相撲をとる」ということである。「あくまでも主役は相手で、それを引っ張っていくのが自分」だと認識をもつことが、リーダーの基本だという。

メダル請負人

日本電産のグローバル経営大学校の開校1年目には、ゲストスピーカーとして井村雅代シンクロナイズドスイミング（当時）日本代表ヘッドコーチにお越しいただいた。いわずと知れた「アーティスティックスイミング界の母」であり、「オリンピックのメダル請負人」である。北京オリンピックで中国代表チームのヘッドコーチとして招聘され、銅メダルを中国にもたらして日本を震撼させたことや、リオデジャネイロオリンピックでは日本代表チームのヘッドコーチに復帰、銅メダルに輝いたことは、まだ記憶に新しい。超大物の登壇ということで、新築したばかりの研修センターの大ホールを使って、多くの幹部や社員も聴講した。

井村の「鬼コーチ」ぶりは有名だ。井村の著書『愛があるなら叱りなさい』（幻冬舎、2001年）は、第1章で紹介した山中伸弥教授の愛読書だという。同書の名言の数々からも、井村の確信犯ぶりがよくわかる。

「常に今ある自分の一歩先でも、より高いレベルを求めて欲しいから、真剣に叱るのです」

「嫌われるのは大いに結構。『好き』だなんて言われたら、キツイ練習をしにくくなりますから（笑）」

「褒めてあげてもいい。でも、頑張っていればいるほど、心を鬼にしてもっときつい課題、きついハードルを設定するのです」

「たとえ一流選手でなくとも、今より絶対うまくしてやりたい。うまくしてやれなかったら、自分自身が許せない」

「指導者があきらめなければ、どんな選手もうまくなると信じている。だから、〝ワタシは、あきらめへん〟のだ」

「『達成感』を味わわせる為にも、強制的にやらせる断固とした態度が絶対に必要なのです」

「限界をつくらない『心の才能』こそ一流選手の条件」

どの言葉も、今風に言うと「パワハラ」呼ばわりされかねない。しかし井村は、そのような批判には一切耳を貸さない。結果を出すことにコミットする。そして結果を出せたことで、選手たちは報われる。それが井村が目指す世界一流人財の育て方だ。

その信念や言動は、永守経営と完全に同期する。講演が終わるや、会場は割れるような拍手に包まれた。永守は興奮を抑えきれないように壇上に駆け上がり、「われわれは一卵性双生児や」と言って大きくハグしていた。

いかにも体育会系の経営のように思われるかもしれない。しかし永守経営は、見かけよりずっと奥が深い。といっても、その本質は空間軸というより、時間軸のとり方にある。第3章でも簡単に論じた「ズームイン・ズームアウト思考」である。

２０２０年初夏、世界がコロナショックに見舞われるなかで、2時間にわたって永守とリモート対談をする機会があった。対談後、筆者は永守経営を次のように論じた（『ダイヤモンド・ハーバード・ビジネス・レビュー』２０２０年9月号）。少し長くなるが、再掲してみよう。

主観正義で未来を語り、形にする

「永守流経営の神髄は、ズームインとズームアウトを絶えず繰り返し、社会・経済の長期的な波動と短期的な変化を同時に、かつ的確に捉える『遠近複眼思考』にもとづくマネジメントにあると思う。

遠未来を捉える眼でビジョンを描き、そのビジョンで1兆５０００億円企業全体を引っ張っていくリーダーシップ。そして、小さな変動を捉えて近未来を予兆し、組織や事業構造を絶えず脱皮させ、進化させていくマイクロマネジメント。その両方を表裏一体のものとして緊密に連携させながら、永守さんは日本電産を飛躍させてきた。

多くの日本企業が行っている中期経営計画偏重のマネジメントには、この長期ビジョンとマイクロマネジメントが決定的に欠落している。だから、大きなビジネスチャンスをつかむことができないし、目の前の変化に機敏に対応することもできない。

では、永守さんはどのようにして遠近複眼経営を実践しているのだろうか。

まず、遠未来を捉える眼について言うと、永守さんは中長期の波動が常に頭の中にあって、好不況は必ず反転することを前提にしている。

景気循環の学説でよく知られるものとして、大きな技術革新が牽引する『コンドラチェフの波』（約50年周期）、建設投資を原因とする『クズネッツの波』（20～30年周期）、設備投資の変動に起因する『ジュグラーの波』（約10年周期）がある。

永守さんは、こうした経済用語を使ったりはしないが、この3つの周期を前提に日本電産の未来像を描いている。対談の中でも、創業時に50年計画を立て、昨年は第2次50年計画を立てたと言っている。また、30年後の2050年に焦点を当て、人型ロボットを動かすための小型・省電力モーターの研究開発を進めていると語っているし、リーマン・ショックから10年が過ぎた昨年、『来年はえらい年になる』と予兆し、固定費削減の指示を出していた。

つまり、50年先、30年先、10年先という未来からバックキャストして、戦略を立て、いち早く手を打っているのだ。

『2030年度売上高10兆円』という長期目標の前提となっている『5つの大波』も、永守さんらしい未来の捉え方だ。『脱炭素化』の波、『デジタルデータ爆発』の波など、いま聞けば当たり前と思うかもしれない。それは、ここにきて、ESG（環境・社会・企業統治）投資やSDGs（持続可能な開発目標）を長期経営ビジョンのたたき台にする企業が増えてきたからだろうが、永守さんは5年以上前から『5つの大波』（筆者注：『脱炭素化』『デジタルデータ爆発』『省電力化』『ロボット化』『物流革命』）に本気で取り組んでいた。

何より永守さんらしいのは、ESGやSDGsという言葉を一切使わないことだ。永守さんは他人から価値観を押し付けられること、借り物の言葉を使うことを嫌う。いわば客観正義を信用していない。

理屈をこねる前に実行し、失敗から学び、再チャレンジする。それが、永守流であり、そこから主観正義をみずから生み出していく。その主観正義を『5つの波』といった独自の言葉で主張するから、リーダーの言葉として人々に響き、共鳴する人が増え、やがては客観正義になっていく。借り物の言葉では、人の心に火を付けられないことを永守さんはよく知っているのである」

志を中心におく「志本主義経営」

「永守流経営のもう一つの特徴は、近くをよく見ていることだ。細かい数字を週単位でレビューしている。シリコンバレーでは『イノベーション@エッジ』とよく言われるが、イノベーションが起こるのはエッジ（末端・辺境）であって、本社ではない。

永守さんはエッジの変化量をよく見ていて、小さな変化を見落とさない。この変化への感度の高さが、マイクロマネジメントを可能ならしめている。

ただ、エッジの情報にはさまざまなノイズが混じっている。これを永守流アルゴリズムで取捨選択している。組織の現場に埋め込んだセンサーが収集した膨大な情報をＡＩ（人工知能）で取捨選択、分析・予測するＩｏＴ型の経営だ。

この経営は、環境変化を契機とする生物の進化プロセス、すなわち『ゆらぎ』『つなぎ』『ずらし』というプロセスになぞらえることもできる。

生物は組織の中に『ゆらぎ』を起こし続けている。止まることは死を意味するからだ。企業組織も事業を続けている限りは絶えず『ゆらぎ』が生じているが、永守さんはその『ゆらぎ』を現場センサーを通じて察知し、変化の予兆を捉える。

『つなぎ』とは、脱構築だ。永守さんは、昨年の秋口には景気変動の波を察知し、新型コロナ危機が起こるやすぐさまＷＰＲ４（筆者注：前述の「ダブル・プロフィット・レイシオ」プログラムの第４弾）に着手した。そのように『ゆらぎ』をつかんだうえで、脱構築していくのが『つなぎ』だ。

そして、『ずらし』は反転攻勢である。WPRで筋肉質な企業体質に脱皮したうえで、一気に集中投資する。中国・大連での1000億円投資などがその例である。

ちなみに、永守さんの『ずらし』は、サムスンの李健熙（イゴンヒ）会長とも通じるものがある。サムスンは次世代の半導体やディスプレイデバイスの需要が盛り上がる前に巨額投資をして量産体制を整え、ペネトレーションプライス（浸透価格）によって日本の大手電機メーカーをはじめとするライバルを駆逐していった。

当面の赤字をものともせず、永守さんがトラクションモーターなどEVの中核部品の開発・量産に巨額投資しているのも、10年先のマーケットを制圧するための『ずらし』である。

このような緻密さと大胆さ、マイクロマネジメントとビジョナリーリーダーシップがDNA二重らせんのように絡み合う遠近複眼経営が可能なのは、永守流経営の真ん中に『志』（パーパス）が、でんと腰を据えているからだ。永守さんの言葉を借りれば、『夢』と言い換えてもいい。

細かいところまで手を出し、口を挟むマイクロマネジメントをぎりぎりとやられていると、現場はうんざりしてむしろやる気をなくすのが普通だ。また、借りてきた言葉で絵空事のビジョンを語ったところで、普通なら誰も付いては来ない。

しかし、永守さんはどんなに経営が厳しいときでも決して暗い話はせず、自分の言葉で大きな夢を語る。そして、WPRなどのマイクロマネジメントを通じて、夢を形にしていく。その永守さんが若い人に挑戦させ、失敗から学ばせ、再チャレンジを促す。そうやって、日本電産は進化してきた。

すなわち、永守流遠近複眼経営は、ディスラプション（創造的破壊）ではなく、生物学的進化を目指す経営であり、志を中心に置く『志本主義経営』でもある。私はそのように捉えている」

ここで論じている遠近複眼思考と志本主義は、稲盛経営にも通底する大局観であり価値観である。この点は、次章以降でじっくり検討したい。

成長企業の4タイプ

永守経営は、50年にわたって結果を出し続けてきた。昭和から現在に至るまで、異次元の成長を続けている日本企業のトップ3は、日本電産、ファーストリテイリング、ソフトバンクグループの3社である。先述したように、これら3社のトップは破格の大言壮語ぶりから、「ほら吹き3兄弟」と揶揄される。永守はさしずめ、その「3兄弟」の長男坊である。

永守は「100年後にも成長し続ける企業」を目指すと豪語している。そのために日本電産

図２　次世代経営モデルの基本構造

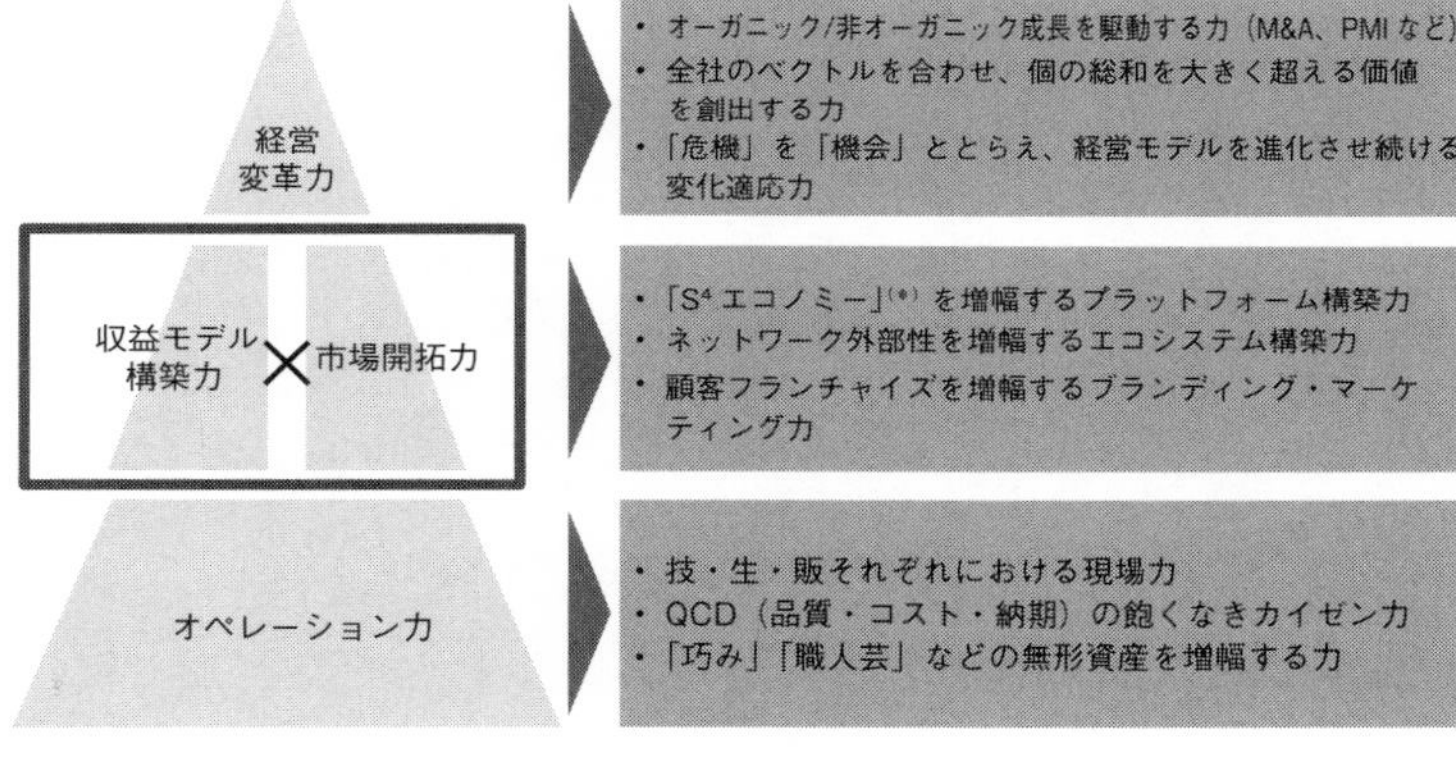

＊Economies of Scale, Scope, Skill, Speed

が今後取り組むべき課題を、次世代経営モデルという視点から検討してみよう。

筆者は日本の「失われた20年」における勝ち組企業の成功要件を分析してみた。詳細は拙著『「失われた20年の勝ち組企業」１００社の成功法則』（ＰＨＰ研究所、２０１３年）を参照願いたい。その際に用いたモデルが、経営を４つの要件に要素分解したものだ（図２）。

基盤となるのが、「オペレーション力」。その上に、「収益モデル構築力」と「市場開拓力」という２つの成長エンジン、最上位に「経営変革力」という推進力を位置付けている。筆者が考案したこの経営モデルは、筆者も委員の一人として参加した「競争力強化に関する研究会」から安倍晋三政権（当時）に

図3　4つの類型

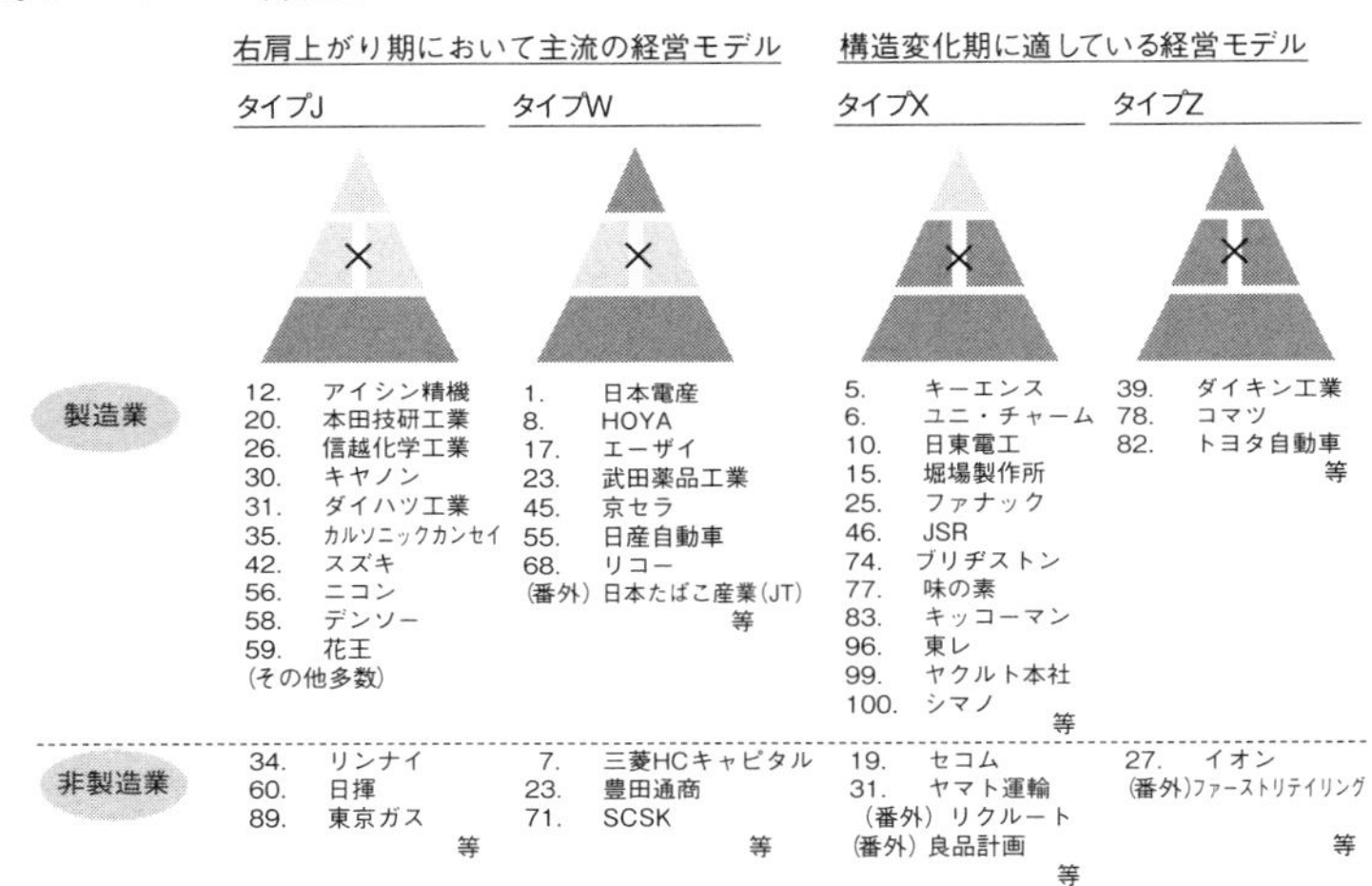

対して行った、成長戦略の「第三の矢」を構想するうえでの提言のなかにも盛り込まれた。

日本の勝ち組企業１００社を、これら４つの要件に照らし合わせて分析してみると、大きく４つのタイプに分けられる（図３）。

第一に、オペレーション力だけで勝ち抜いてきた企業群。自動車や精密機械など、現場におけるすり合わせ力が競争優位を決定づける領域で戦っている企業が多い。日本の伝統的な勝ちパターンを踏襲していることから、「タイプJ」と呼ぶ。

第二に、オペレーション力と経営変革力を兼ね備えた企業群。日本のお家芸であるオペレーション力と欧米流の経営変革力をダブルで発揮していることから、「タイプW」と呼ぶ。世界的にはジャック・ウェルチ時代のゼネラル・エレクトリック（ＧＥ）や李健熙時代のサムスン電子が代表例だ。日本ではきわめてまれな成功パターンである。

第三に、オペレーション力に加えて、収益モデル構築力と市場開拓力を成長エンジンとして回し続ける企業群。オペレーショナル・エクセレンス（ＯＥ）を回すだけではカイゼンに終始するが、その上に２つのターボエンジンを駆動させることによって、非連続な成長を実現していく。２つのエンジンをクロス（Ｘ）させ続けていることから、「タイプＸ」と呼ぶ。

第四に、これら４つをすべて兼ね備えている企業群だ。これらの企業群はオペレーショナル・エクセレンスを基軸としつつも、イノベーション、マーケティング、チェンジマネジメントといった広範な経営能力を発揮していることがわかる。究極のモデルということで「タイプＺ」と呼ぶ。

タイプＷからタイプＸへ

日本電産はこの日本の勝ち組企業１００社のトップに輝く。そして、典型的なタイプＷ企業である。ちなみに京セラは45位で、日本電産と同じくタイプＷに属する。

日本電産のこれまでの成功の要因は何か？　かつてのハードディスク用の小型精密モーター、そして最近ではＥＶ用の駆動モーターと、まさに次世代の「大波」を探り当てる永守の先見力は、神業のように見える。そしてその狙いを定めたホワイトスペースで圧倒的なシェアを確保すべく、大きな投資をいち早く仕掛ける。そのうえで、現場が得意のOE力を発揮して、品質と機能、そしてコストに磨きをかけていく。この大胆かつスピード感にあふれたトップの決断力と、現場の実践力こそが、永守流の勝ちパターンの本質である。

永守はM&Aで規模を拡大してきたことが注目されがちだが、正しいタイミングに正しい買い物をするトップの嗅覚と、PMI、すなわち買収した企業のOE力を徹底的に磨き上げるパワーこそが、永守経営の神髄であることは、前述したとおりである。

右肩上がりの成長が見通せる時代には、オペレーション力を基軸としたタイプJやタイプWでも十分戦えた。同質的な競争の世界では、「Do More Better（カイゼン）」（タイプJ）と「Scale Up（規模の経済のあくなき追求）」（タイプW）が、優位性の源泉となりえたからだ。

しかし、今の延長線上に答えがない以上、それだけでは不十分だ。収益モデル構築力と市場開拓力という次世代の成長エンジンが不可欠となる。これらのエンジンを内包したタイプXやタイプZこそが、非連続な時代の成功モデルとなるはずだ。

では、この両者のうち、どちらのタイプが望ましいか。すべてを兼ね備えたタイプZこそが、理想的だと思われがちだが、本当にそうだろうか。

確かにタイプZ企業は、トップの強力なリーダーシップが成長を牽引し続けている。しかし、そのような企業は、実は経営者リスクにさらされているのだ。卓越したトップの存在が成長の前提条件となり、トップ交代がこれらの企業の成長の変曲点となりかねない。

それに比べてタイプX企業は、経営変革力に依存しすぎないところに特徴がある。誤解を恐れずにいえば、誰がトップになっても成長を持続していくことができる。なぜならば、2つの成長エンジンがオペレーションのなかにしっかり実装されているからである。そして、成長エンジンをそこまで現場に埋め込むことこそが、経営者の真のリーダーシップといってもいいだろう。事実、既存のタイプZ企業、たとえばトヨタ自動車、ダイキン工業、ファーストリテイリングにとっては、いかにタイプXに移行できるかが最大の経営課題となっている。

ツインモーターを埋め込め

タイプW企業である日本電産も、次世代成長を目指すためには、収益モデル構築力と市場開拓力というツインエンジンを整備しなければならない。エンジンをモーターで置き換えようとする日本電産の場合、「ツインモーター」というべきだろう。

その際に大きく2つのアプローチがある。

1つは、経営から働きかけるトップダウン方式だ。欧米の戦略論者や経営コンサルタントは、このような演繹的なアプローチを好む。OEに安住せず、戦略脳を磨けと主張するマイケル・

ポーターは、その典型である。

もう1つは、現場から発想するボトムアップ方式だ。OEのなかから帰納的に新しい法則や「型」を生み出す。トヨタ自動車の「TPS（トヨタ生産方式）」やダイキン工業の「べたつき営業」は、そのような現場の知恵を仕組み化したものである。

たとえばタイプXの代表企業（ランキング5位）のキーエンスは、現場のベストプラクティスをアルゴリズム化し、それを常に進化させ続けている。同社の市場開拓モデルは、他社にコンサルティングできるほど「仕組み」として完成度が高い。また同社の収益構造は、自社のなかには知恵だけを蓄積し、有形資産は他社のものを使い倒すという典型的な無形資産型のアセットモデルが基軸となっている。

ならば、日本電産はどうか？　同社の市場開拓は「3New（スリーニュー）モデル」が基軸となっている。新製品、新市場、新顧客の3つだ。それを現場が「知的ハードワーク」でこなし続けてきた。今後は、そのような現場の「たくみ」の知恵を組織の「しくみ」へと転換し続けていくことがカギとなる。それが可能であれば、日本電産流の市場開拓アルゴリズムを、買収先も含めて、世界中により素早くスケールさせ続けることができるはずだ。

一方、収益モデルにおいては、従来は有形資産への積極投資が主軸だった。今後は、組織を横断した知恵の流通・蓄積、異業種とのエコシステム構築、ブランド力の抜本的強化など、無形資産への投資を加速する必要がある。収穫逓減の法則に支配される有形資産に対して、無形資産は収穫逓増の法則が成り立つからだ。

言い換えれば、「永守アルゴリズム」と「現場ＯＥ力」の仕組み化が勝負となる。Ｍ＆ＡとＰＭＩの領域ではすでに実証済みだ。そのような仕組み化がマーケティングとイノベーションの領域においても実現できれば、日本電産は今後とも指数関数的な成長を持続させることができるはずだ。

第6章「盛守」モデルの共通点

通底するリズム

ここまで、稲盛流と永守流の特徴を概観してきた。それぞれに、きわめて個性的である。少なくとも、日本で「次世代経営モデル」としてもてはやされている次のような2つのステレオタイプな考え方とはまったく無縁である。

第一に、「グローバルスタンダード」追随型。そもそも「グローバルスタンダード」という言葉自体、欧米に卑屈になりがちな日本人がつくった和製英語である。世界標準などというものは、そもそも存在しない。日本の産官学とマスコミがグローバルスタンダードと呼んでいるのは、アングロサクソン型の拝金主義にすぎない。

ポーターに代表される古典的な経営戦略は、いかに競争に勝ち、利益を獲得するかを目指した。そしてその利益を株主に還元することで、短期志向の株主におもねる。これが２０１５年に始まった日本型コーポレートガバナンス改革の狙いだった。

その後、アングロサクソンの世界においてすら、株主主権主義からマルチステークホルダー主義への大転換が進む。そこで日本もあわてて追随。しかし、それぞれ異なる利害を抱える関係者をいかに束ね、リードしていくかという経営の本質については、これらのモデルはまったく答えを出せていない。

第二に、「いい会社」指向型。昨今は、サステナビリティ経営が次世代モデルとして目指されている。環境や社会に配慮した経営である。

世界的に見ても、サステナビリティ（持続可能性）を標榜するベネフィット・コーポレーションやＢコープ認証を取る企業が増えてきた。アウトドア・アパレルメーカーのパタゴニアなどが代表例である。

同社の創業者であるイヴォン・シュイナードは『社員をサーフィンに行かせよう』（東洋経済新報社、２００７年）というベストセラーを書いている。これは、アウトドアを愛する社員たちには商売より趣味を優先させなければならない、という同社のモットーをタイトルにしたものである。前出の「ティール型」でいえば、「グリーン」企業群である。

日本でも、坂本光司『日本でいちばん大切にしたい会社⑴～⑺』（あさ出版、２００８～２

0年）シリーズが、日本の「いい会社」を紹介している。寒天の伊那食品工業など、地方の中小企業が中心だ。いずれも「人にやさしい経営」を目指す家族主義的な企業群である。

このような「いい会社」の社員は、とても居心地がいいかもしれない。しかし、ぬるま湯体質は、成長に向けて挑戦し続けるという人間の基本的な人権に本当に応えたことになるのだろうか？　解決が難しい大きな環境問題や社会問題に対して、異次元のイノベーションを生み出すことができるだろうか？

稲盛も永守も、これら世の中の風潮には、まったく耳を貸さない。独自の哲学と信念を貫いているからだ。そしてこの2つの流派の独自性の本質を突き詰めていくと、実はその奥底には同じ調べがリフレインしていることに気づく。しかもそれらはいずれも3拍子なのだ。

速いテンポのワルツが流れると、思わず踊りだしたくなる。そして遅いテンポのメヌエットが流れると、心が鎮まる。それらをうまくアッセンブルしているところに、稲盛経営と永守経営の共通点がある。本章では、成功の方程式、3つの空間軸、そして3つの時間軸という観点から、共通の3拍子をあぶりだしてみたい。

成功の3要件

まず、もっとも顕著な共通点は、成功の方程式である。

「人生・仕事の結果＝考え方×熱意×能力」──①
Y＝A＋B＋C──②
Y＝日本電産社員の評価値
A＝基本的ものの考え方（日本電産ポリシーの理解度）
B＝仕事などに対する熱意
C＝能力

稲盛経営の成功の方程式は、前述したように上の①である。永守イズムにおいては、②のような方程式が掲げられている。方程式を構成する3要素はどちらも同じ。稲盛は積で、永守は和で表現しているところに違いがある。稲盛流のほうが、各項目の影響が掛け算で利いてくるので総数のブレが大きくなる。いずれにせよ、同じ3つの構成要素から成功を定義しているところが興味深い。

では、この3つの構成要素の重みづけはどうか？　稲盛も永守も、他の2つに比べると「能力」をあまり重視していない。

稲盛は「可能性は未来の能力のこと」だと語る。だから「能力は未来進行形で考えるべき」なのだとも説く（『生き方』）。

「いかに困難な目標であっても、携わる人たちの最大限の意欲と応力を引き出し、不可能を可能にするもの──それが〝思い！〟の持つ力です」と稲盛は語る（『心。』）。

「〝思い〟とは、心のキャンバスに描き出す考え、ビジョン、夢、希望などといいかえてもいいでしょう。心の働きそのものといっ

てもよいし、それによって生み出された意図もしくは意志ともいえます」（同前）

「いま私たちは、この思いの大切さをどこかに置き忘れてきてしまったのではないでしょうか。頭で〝考える〟ことばかりが重視され、それらを生み出す根っこである〝心〟と、それをもたらす〝思い〟が軽視されているように思えてなりません」（同前）

永守も「人間の潜在能力は無尽蔵」（『情熱・熱意・執念の経営』）が持論である。そんな永守が好んで取り上げるのが、ラーメン屋のエピソードだ。

午後2時過ぎにどこにでもあるようなラーメン屋に入ってみると、ほぼ満員。人気の秘密は味ではなく店員の気配りだということがわかる。

「他店と同程度の料金で5倍の美味しいラーメンをつくったり、5分の1のスピードでお客にラーメンを出すのはまず不可能だが、店員の意識を変えることによって、お客の気分を100倍よくするのはそれほどむずかしいことではない。この店が繁盛しているのは、ズバリ店員の意識の高さ、すなわち経営者の意識の高さである」（『「人を動かす人」になれ！』）

「恐らく、このラーメン屋の経営者はラーメンの味にこだわる以上に店員の意識改革にこだわっているのだと思う。私の人材に対する考えもこれと全く同じ。能力の高い人を採用するよりも人並みの能力を持つ人材を採用して、彼らの意識を高めることに全力を傾注する」（同前）

稲盛も永守も、能力は他の2つの従属変数にすぎないことを看破しているのである。

では、「考え方」と「熱意」のどちらを重視するか？　二人の言葉の端々から読み解くと、稲盛は「考え方（＝思い、心）」を重視し、永守は「熱意（情熱、執念）」を原動力として位置付けているといえそうだ。ここに二人の哲学の微妙な差異が感じられる。

とはいえ、成功がこれら3要素の関数であるという点において、二人の思想は完全に同期しているのである。

IQ、EQ、JQ

そもそもなぜ、この3要素なのか？

前述したように、永守は、よくＩＱ（知能指数）とＥＱ（感性指数）を持ち出す。そしてＥＱ＞ＩＱという不等式を力説する。能力より、熱意が勝るというのである。

では、「考え方」はどこにいってしまったのか？　筆者は、そこに3つ目のＱが隠れているとみる。

「リスクに見舞われた時こそ、経営者は前を見ないといけない。大局観を失わず、恐れずに動くべきだろう」（『日経ビジネス』２０１６年7月11日号）と永守は語る。この決断力こそ、永守経営の真骨頂である。それを筆者はＪＱ（Judgment Quotient：判断指数）と呼ぶ（図４）。

ＩＱ、ＥＱ、そしてこのＪＱが、永守経営の3拍子なのである。

図4　変革のリーダーに求められる3つのQ

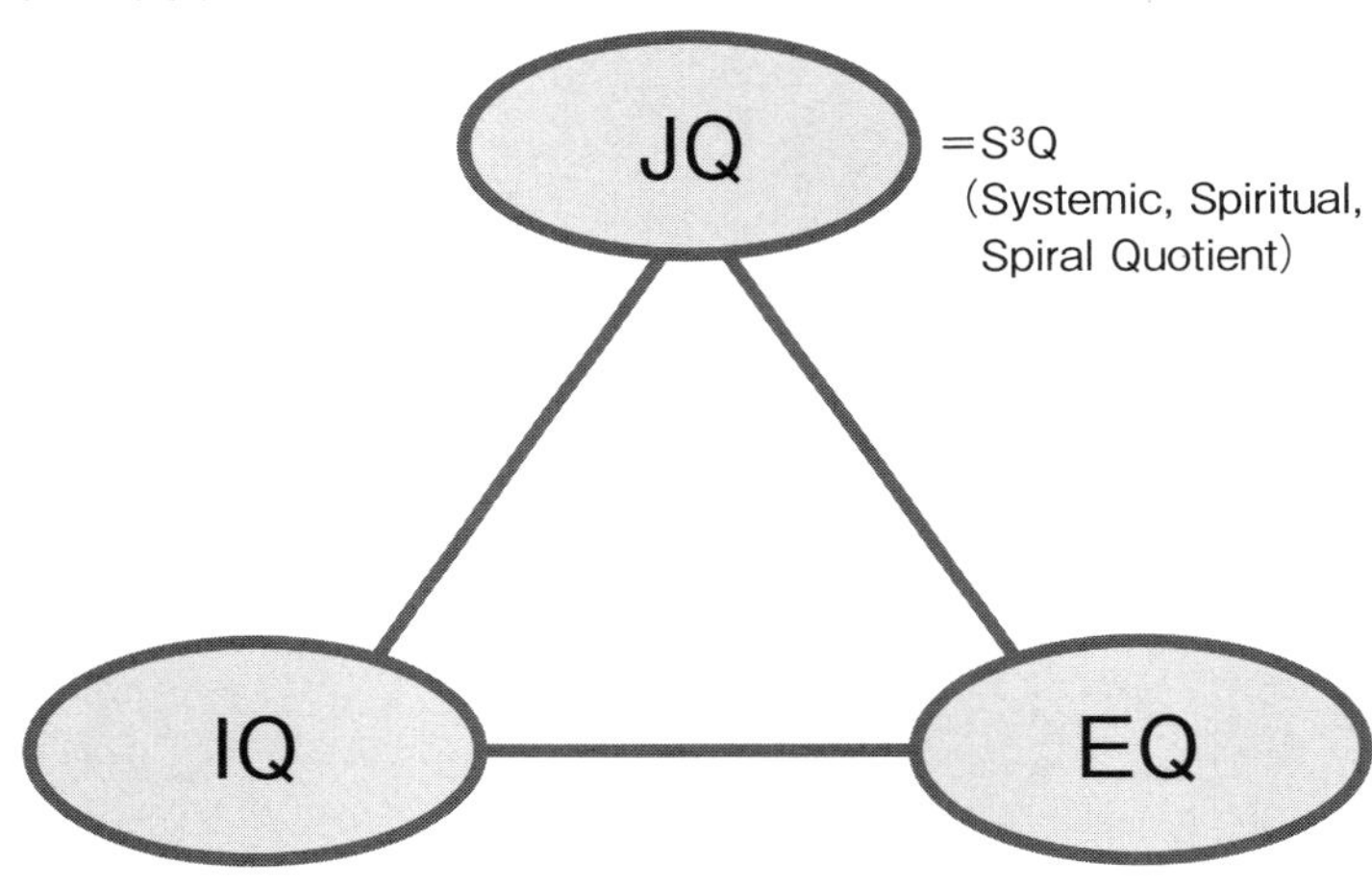

一方、稲盛は「こころ」の中心に「真我」があると唱える。禅の教えに出てくる言葉で、「真の意識」や「宇宙の意志」を指す。「真我は仏性そのものであるがゆえにきわめて美しいのです。それは愛と誠と調和に満ち、真・善・美を兼ね備えている」(『生き方』)

稲盛はこの真・善・美を心が求め続ける3つの価値としてとらえている。3つのQに当てはめれば、真=IQ、善=JQ、美=EQに近いとも解釈できる。この3つのなかで、最も深淵なものが善である。

そもそも真・善・美を最初に唱えたのが、プラトンである。そしてその弟子のアリストテレスは、個人の善ではなく社会全体の善のあり方として「共通善」という価値観を唱えた。人を動かすためには、3つの要素がなければならないと説いたわけだ。「エトス（信頼）」「パトス（情熱）」「ロゴス（論理）」の3つである。エトスは善、パトスは美、ロゴスは真に近い概念である。

しかし、稲盛はこのような西欧哲学とは一線を画す。そして『善の研究』を出発点に、東洋思想に根差した善のあり方を追求した西田哲学と同期していく。すなわち、〈稲盛＝西田〉が語る善とは〈宇宙＝自然〉の意志であり、それは社会という人工的な組織のための西欧的な共通善よりはるかに崇高なものである。そして真・善・美も、因数分解するのではなく、三位一体のものとして統合されなければならない。

最近になって西欧でもようやく、拝金型資本主義を超える経営モデルが台頭し始めている。たとえば、世界最大の資産運用会社ブラックロックのラリー・フィンクＣＥＯは、２０１９年の投資先へのレターのなかで、「パーパス&プロフィット」こそ次世代企業が目指すべき価値であると説いた。しかもパーパスがまさに目的で、プロフィットは結果にすぎない。従来の資本主義のように利益至上主義に走ってはならないと戒めたのである。

筆者はパーパスを目的ではなく「志」と訳している。そしてこのような志を基軸にした経営モデルを、パーパシズム（Purposism）と名付けている。日本語では「志本主義」と呼ぶ。そしてこの志本主義を資本主義（Capitalism）に代わる新しいモデルとして位置付けている。詳細は拙著『パーパス経営』（東洋経済新報社、２０２１年）をご覧いただきたい。

しかし、パーパスとプロフィットという二分法そのものが、きわめて西欧的なデジタルな発想といわざるを得ない。稲盛や永守ならば、そこには3つ目のPが隠れていると指摘するだろう。パッション（熱意）である。パッション——すなわち心のエネルギーがパーパスとプロフィットの循環運動に火をつけ、駆動し続けるはずである。そして筆者が唱える志本経営も、これら3つのPが原動力となるのである。

このように見てくると、先述した稲盛＝永守の成功方程式の3要素は、以下のように「翻訳」することができる。

考え方≒JQ、善、エトス、パーパス
熱意　≒EQ、美、パトス、パッション
能力　≒IQ、真、ロゴス、プロフィット

以上のように読み替えると、稲盛哲学と永守哲学が、実はプラトンやアリストテレスから西田哲学、そして現代の最先端の経営モデルにまで通底していることを確認することができる。言い換えれば、この二人の思想がいかに本質的な人知に根差し、かつ時代を先取りしているかがよくわかる。

現代の上滑りな風潮のなかで、稲盛経営や永守経営は、時代錯誤で異質なものに見えるかもしれない。しかしそれは逆に、ガバナンス、サステナビリティ、ＤＸ、両利きの経営などといった昨今喧伝されている経営モデルが、いかに本質から逸脱し、時代錯誤に陥っているかを物語っているのである。

守破離

では、二人の流儀に通底する時間軸上のリズムは何か？

一言でいえば、「守破離」。茶道や剣道などの芸道を極める際の日本古来の作法だ。よく知られているとおり、以下の３つのリズムから構成される。

守――師の教えを忠実に守り基本の型を習得する
破――他の型などを取り入れ、新しい型を模索する
離――型から離れて独自の自由な境地を切り拓く

ここでのキーワードは「型」だ。まず「型」を身につけることが基本である。型がなければ「型なし」となってしまう。そして「型破り」、すなわち独自の型を創作する。最後は「型離れ」、すなわち「何事にもとらわれない」心境に達する。

図５　クリエイティブ・ルーティン
――「たくみ」から「しくみ」へ

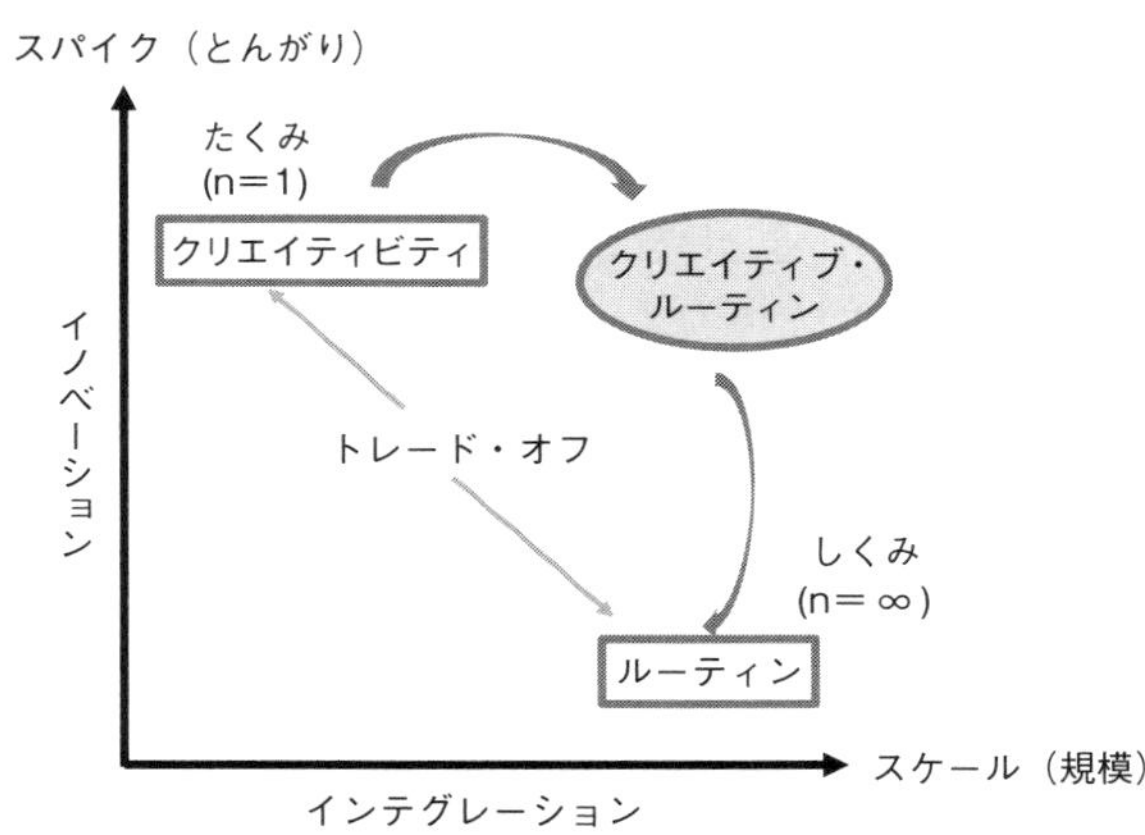

これはイノベーションの作法そのものである。図5は、一橋大学の野中郁次郎名誉教授がその共著『イノベーションの本質』（日経BP、２００４年）で提唱しているイノベーションモデルを、筆者なりに図式化したものである。

「ルーティン」、すなわち「型」を守ることが基本。「クリエイティビティ」とはこの型を「破る」こと。そしてクリエイティブ・ルーティンとは、この新しく生まれた型を元の型に落とし込んで、型そのものを進化させていくことである。

「ルーティン」を「しくみ」、「クリエイティビティ」を「たくみ」と呼ぶなら、「クリエイティブ・ルーティン」とは「たくみをしくみに変えるしくみ」である。

永守は「守」、すなわち原理原則の徹底にこだわる。そして「我流、個人のスタンドプレーを戒めよ」「(ベンチャー企業も) 全員がベクトルを合わせ、総合力によって前進していく企業へと進化させていかなければならない」と説く(『「人を動かす人」になれ！』)。

一方で「破」と「離」の重要性も説く。前述したように「脱皮しないヘビは死ぬ」は、永守の口癖だ。「古い服は脱ぎ捨てよ」と唱える。「これからも、当社は、身体に合わない古い服、小さな服を脱ぎ捨て、常に身に合う新しい服をまとう、変化の先端を走り続ける企業であり続けたい」(『挑戦への道』)。

日本電産における市場開拓の流儀が「スリーニュー(新製品、新市場、新顧客)」であることは、前述したとおりである。「破」とは、やみくもに自己否定することではない。自分の信念や自社の強みを踏まえて、現業を「ずらし」ていくことこそが永守流イノベーションの本質である。したがって、「離」も突然変異ではなく、あくまでも持続的進化した姿を目指す。

稲盛は、盛和塾で「守破離」の教えを、繰り返し説いていたという。「守」においては、素直な心で学ぶことに徹する。「破」においては、自らの壁に向かって挑戦する。そして「離」においては、「悟りの境地」を目指す。

もっとも、「普通の人間が悟達の境地を得ることはしょせん不可能である」とも言う。だから「そうであろうと努めること、それ自体が尊いのだ」と語る。「離」はゴールではない。「守破離」を繰り返しながら、「心の高み」を目指し続けることこそが、稲盛哲学の神髄である。

習絶真

守破離は、もともと千利休が『利休道歌』のなかで、「規矩作法 守り尽くして破るとも離るるとても本を忘るな」と謳ったとされているのが語源とされる。

ここでキーワードは、守破離そのものではなく、実は最後の「本を忘るな」である。型を守り、型を破り、型から離れたとしても、本、すなわち本源的な精神を忘れてはならない。稲盛は最新著のなかで、「すべては〝心〟に始まり、〝心〟に終わる」と語る。「それこそが、私が歩んできた80余年の人生で体得した至上の知恵であり、よりよく生きるための究極の極意でもあります」(前掲『心。』)。

この永遠の回帰性こそ、守破離の本質である。そしてそこに、欧米流の弁証法との本質的な違いがある。

弁証法はプラトンやアリストテレスの時代に始まり、ヘーゲルが体系化した流儀である。「正(テーゼ)⇒反(アンチテーゼ)⇒合(ジンテーゼ)」という3段論法で、新しい視座を開くという思考法になる。

正反合は一見、守破離と同じリズムのように思える。しかし、弁証法は「合」において異次元の高みに到達することを目論むのに対して、守破離はむしろ全体を包含する大きな系のなかでの営みであり、「離」においてはその全体に包まれていることに気づくことが目指される。

それが悟りの境地であり、稲盛がいう「宇宙の意志」の気づきである。弁証法では合理的な理性が求められるのに対して、守破離では直観で体得するという身体知が求められる。西田哲学における「絶対矛盾的自己同一」の世界観である。

禅には「習・絶・真」という教えがある。まずひたすら学習し、それを超え（絶学）、最後に正しい境地（真）に達する。「一即多」「多即一」という表現も、禅の教えそのものだ。鈴木大拙禅師はそれを「即非の論理」と名付けた。稲盛や永守の思想は西田哲学、そしてこの禅の教えに通底するものである。

それはまた第2章で言及した新京都学派・福岡伸一が提唱する「動的平衡」そのものである。稲盛経営、そして永守経営は、この生命力を駆動させてたくましく進化し続ける経営を目指す。そこに現出するのは静的な「いい会社」ではなく、動的な「いきいきした会社」の姿である。まさに京都生まれの企業ならではである。

MORIモデル

以上、稲盛と永守の経営を概観してきた。「はじめに」で述べたように、本書では、この二

図6　MORIモデル

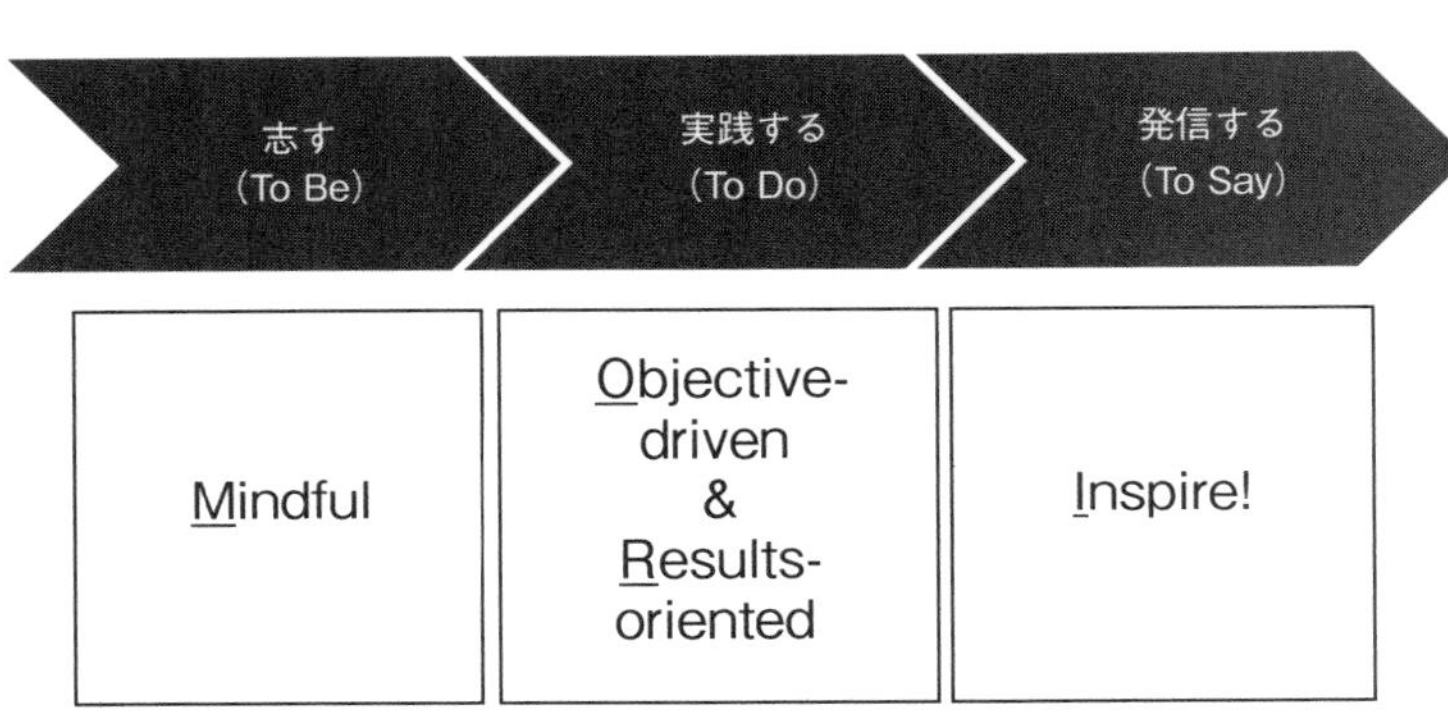

人の経営を「盛守経営」と呼ぶ。

これまで見てきたとおり、盛守経営には多くの共通点がある。そこで、それを二人のMORI（「盛」と「守」）をもじって、「MORIモデル」と呼ぶことにしたい（図6）。

MORIは、〈Mindful〉×〈Objective-driven + Results-oriented〉×〈Inspire!〉の略である。

〈Mindful〉とは、mind、すなわち「心」のパワーが全開になっている状態を指す。その中心にあるのは、「理（理屈）」や「利（利益）」ではなく、永守の言う「信（信念）」であり、稲盛の言う「真（真我）」である。

近年、世界中で「マインドフルネス」がブームとなっていること、そして京都がその中心地となっていることは、第1章で述べたとおりだ。瞑想や座禅がその作法とされる。

しかし、本質はそのような形ではなく、心の状態である。永守流にいえば、いかに夢やロマンに満ちているか。稲盛流にいえば、そこに「宇宙の意志」が流れているか。最近の経営用語でいえば、「パーパス」に近い。

〈Objective-driven + Results-oriented〉とは、Objective、すなわち目標を掲げ、そこに向けて、Results、すなわち成果を出すことを指す。稲盛は「実学」と呼び、永守は「経営手法」と呼ぶ。

近年、「ＯＫＲ」という手法が注目されている。企業の目的を達成するため、達成目標（Objectives）と主要な成果（Key Results）をリンクさせるという目標管理モデルである。インテルが１９８０年代に開発したものだが、90年代後半にグーグルが採用したことで一気に世界に広まっていった。

それ以前に、一世を風靡したバランスト・スコアカード（ＢＳＣ）に比べて、よりシンプルで、かつ、頻度高く運用することができる。最も大きな利点は、創造的な組織に向いている点である。業績評価に直結するものではなく、かつ、Key Results の数字を70〜80％程度達成することが理想とされるからだ。その結果、より意欲的な目標を掲げられ、失敗を恐れずリスクをとることができるようになる。

もっともあえてKRとKeyを入れなくても、本質は変わらない。そこでここでは〈OR（Objective ＋ Results）〉という短縮版を使うことにする。

稲盛や永守は、BSCやOKRなどという舶来ものにはまったく関心を示さない。なぜなら、このようなモデルが登場するはるか前から、目標（Objective）と結果（Results）にこだわる優れた手法を独自に開発し、導入していたからである。

〈Inspire!〉とは、心を動かすことを指す。英語の語源をひもとくと、spire（息を吹く）という語幹にin-（中へ）という接頭辞が添えられてできたものである。「（神が）魂に息を吹き込む」という意味が込められている。

この語源が示すように、理性ではなく神性の世界である。科学ではなく宗教である。誤解を恐れずにいえば、そこでは論理思考（ロジカル・シンキング）ではなく洗脳（ブレイン・ウォッシング）がカギを握る。

Why, What, How

魂に「宇宙の意志」を吹き込むことは、稲盛哲学の神髄である。『「人を動かす人」になれ！』は永守マジックの原点である。いかに人の心に火をつけるか？　それは、二人の経営を駆動するパワーの源泉といえよう。

前述のMORIモデルも、3拍子から構成されている。勘のいい読者はすでに気が付かれたとおり、これは二人の経営に共通する成功の方程式から導かれたものだからだ。

〈Mindful〉は「考え方」を、〈OR（Objective+Results）〉は「能力」を、〈Inspire!〉は「熱意」を読み替えたものにほかならない。このうち、なぜ能力がORになるかがわかりづらいかもしれない。後で種明かしをするが、結論を先にいうと、ORこそが永守がいう「無尽蔵な潜在能力」、稲盛のいう「未来進行形の能力」を引き出す仕組みとなるからだ。

本書では、二人に通底する成功方程式をあえて英語で表現することにこだわってみたい。この経営モデルが日本独特の「異形」の存在ではなく、世界に通用する次世代モデルであることを伝えたいからだ。

より抽象化すれば、Mindfulは“Why”、Objective + Resultsは“What”、そしてInspire!は“How”という経営の本質的な問いに答えたものである。MORIモデルは、日本、そして世界に、次世代の経営モデルのあり方を示唆してくれるはずである。

次の章からは、その3要素を1つずつ、深掘りしてみたい。

第7章 大義と大志

Mindfulness

始めに志ありき

この章では、盛守経営をMindfulという切り口から検討したい。二人の成功方程式では「考え方」と呼ばれている要素である。そしてそれは、「そもそも自分たちは何のために生きるのか」（Why）という深淵な問いかけから出発しなければならない。

この問いに対する永守の答えはシンプルだ。世の中になくてはならないものを提供すること。しかも、他人のやらないことをやること。そして、必ずその領域でトップ企業となること。この3つに尽きる。

なぜトップ企業でなければならないのか？　デジタル時代には、「Winner Takes All（トップ企業が収益を総締めする）」が成功の法則となることを、欧米や中国のトップ企業を顧客にしている永守は熟知している。それを「二番以下は、ビリと同じ」という永守流のわかりやすい言葉で語る。

では、なぜ十分な収益が必要なのか？　それを原資に成長し続けること。「『企業の活性化』とよく言われますが、その一番の近道は会社を成長させ続けることです」（『情熱・熱意・執念の経営』）。

永守にとって、企業の最大の社会貢献は、雇用を守り、雇用を増やし続けること。なのにそれができずに、不況になるとすぐ人員削減に踏み切る無責任経営者が多すぎる。

「日本では『会社は公器』という意識がなさすぎる」と嘆く（同前）。永守は、利益を上げ続け、それをさらに投資して、社会に広く価値を届けることこそが公器たるゆえんだと言う。そしてそのような企業としての基本的な義務すら果たさないまま生きながらえている企業を、社会主義的公器と断罪する。

永守は、中国で囁かれる笑い話を披露する。

「日本人とあまり深く付き合うと社会主義になるぞ」

日本より中国の民間企業のほうが、はるかに資本主義的公器の役割を果たしている。

永守は、経営の原点は、「常に〝始めに志ありき〟でなければならない」（『挑戦への道』）と語る。そしてこれは永守自身の人生の哲学でもある。

利他の心

稲盛は、「利他の心」あるいは「無私の心」の大切さを説く。

稲盛経営のキーワードは「動機善なりや、私心なかりしか」である。稲盛が第二電電を設立した際に、この言葉を自らに問い続け、参入を決断したというエピソードは有名である。

この言葉は、KDDIフィロソフィのなかだけで謳われているものではない。例えば、『京セラフィロソフィ』のなかでは、次のように説明されている。

「善とは、普遍的によきことであり、普遍的とは誰から見てもそうだということです。自分の利益や都合、格好などというものではなく、自他ともにその動機が受け入れられるものでなければなりません。また、仕事を進めていく上では『私心なかりしか』という問いかけが必要です。自分の心、自己中心的な発想で仕事を進めていないかを点検しなければなりません」

また次のようにも説く。

「動機が善であり、私心がなければ結果は問う必要はありません。必ず成功するのです」

「自利利他」「三方よし」「論語と算盤」といった東洋思想に通じる哲学である。しかし、個人主義や資本主義を是としてきた欧米人にとっては、簡単に理解できるものではない。

たとえば、ハーバード・ビジネススクール上級講師で、稲盛のケースを書いたアンソニー・

メイヨーは、次のように語っている。
「たいていの人にとって、この因果関係を理解することは容易ではない。相手に敬意を払うことが、どうして好決算に結び付くのだろうか。人として正しい行いをすることが、どうして企業の成功につながるのだろうか」（『ダイヤモンド・ハーバード・ビジネス・レビュー』２０１５年９月号）
メイヨーは、従業員、さらにはあらゆる人を基軸においた経営こそ、強力な差別化要因となり、企業に継続的な発展をもたらすということに気づかされたという。それは欧米、さらには世界にも通じる経営思想だと語る。
「経営者にとっての真の試練は、思い切った思考の跳躍ができるかどうか、また企業経営は遠大な目標を掲げた崇高な仕事だと信じることができるかどうかである」（同前）
稲盛はアメリカで買収した企業の現地経営者と、人間の本質とは何かについて、徹底的に議論することで、自らの哲学への共感を勝ち取っていった。同様のシーンが、ＪＡＬの再生劇でも見事に再現されたことは、前述したとおりである。稲盛哲学に共鳴した彼らは、その後、見違えるほどの業績回復を自らの手で実現していったのである。
稲盛は、「大義」という言葉を好んで使う。しかもそれは、「志」とは同じではないともいう。「志は個人的な目標をも含みますが、大義というのは、利己ではなく、自分を離れたところに大きな意義を置くということです」(『稲盛和夫の哲学』)

いかにも稲盛らしいこだわりだ。稲盛は大義と言い、永守は志と言う。この微妙な違いについては、本章の最後で改めて検討してみたい。

「思い」のパワー

稲盛は『京セラフィロソフィ』の一節で、「夢を描く」ことの重要性を説く。

「高くすばらしい夢を描き、その夢を一生かかって追い続けるのです。それは生きがいとなり、人生もまた楽しいものになっていくはずです」

逆に、「夢を抱けない人には創造や成功がもたらされることはありませんし、人間的な成長もありません」と語る(『生き方』)。

稲盛は、夢を「思い」という言葉で表現することも多い。

「京セラにしても、ＫＤＤＩにしても、また日本航空にしても、決して初めから成功が見えていたわけではありません。いずれも、最初は空想みたいな『思い』、何としてもやり遂げようという『思い』から始まっていったものです」(『致知』２０２１年4月号)

２０１４年10月、稲盛が母校・鹿児島玉龍高等学校の在校生の前で語った言葉である。講演のテーマは、「君の思いは必ず実現する」だ。

「しかし、その『思い』を強く抱き、誰にも負けない努力を続けることで、空想みたいな『思い』だったものが、創造を遥かに超えた素晴らしい未来をもたらしてくれたのです。『思い』というものは、そのくらい素晴らしく、強いパワーを持っています」（同前）

稲盛は、長期計画などつくったことがないという。それは「計画」ではなく「夢」でなければならない。10年先、30年先の自社のイメージを、鮮明に思い描くこと。しかもカラーで見ることが重要ともいう。

「目をつぶって成功した姿を想像してみたとき、その姿がうまくイメージできるのなら、それはかならず実現し、成就するということです」（『生き方』）

さらに夢を追い続けることの大切さを説く。

「どんなに会社が大きくなっても、私たちは未来に夢を描き、強烈な思いを抱く開拓者としての生き方をとり続けなければなりません」（『京セラフィロソフィ』）

夢追人

「夢」に込める永守の思いはさらに強烈だ。

永守は自らを「夢見る夢夫」と呼ぶ。「私の考え方や行動のエネルギー、パワーの源はここにある」（『挑戦への道』）。

そして「夢を形にするのが経営だ」(『情熱・熱意・執念の経営』)とまで言い切る。

日本電産のコーポレートスローガンは"All for Dreams"。まさに永守の思いを凝縮したものである。全グループ社員が一丸となって「夢を形にする社員集団」となり、常に「挑戦と成長」を追求することを約束している。そして、ステークホルダーの「夢」のために企業活動を展開し、企業価値の向上に努めると誓う。

それを、以下のような「思い」に込めている。

夢は、私たちの原点。
夢は、私たちのすすむ原動力。
夢は、私たちのつくる未来。
世界の夢、人々の夢、そして私たちの夢。
夢を抱くことから、
新しい何かを創る情熱や発想が生まれ、
世にない技術や性能を持った製品が実現できるのです。
All for dreams —すべては夢のために
時代に夢があるかぎり、

日本電産グループは挑戦します。
世界と人々の（今日と）明日のために、
「世界初」「世界一」を追求する技術と製品で
快適な社会づくりに貢献をつづけます。

ただし、ただ夢見るだけでは夢で終わる。永守は、「〝大輪の花を咲かせる〟準備を怠らない者だけが夢を実現できる」とクギを刺す。そして、夢の実現に向かって、自己変革の必要性を説く。「ロマンを持てる人は、自らの生活を変える」（『挑戦への道』）。

このように永守は、夢をロマンという言葉に置き換えることも多い。夢は一瞬で消える可能性があるが、ロマンは「長編」としてのストーリー性を持っているからだろう。

「わたしは（創業）当時から夢やロマンを持つことは、〝未来を買うこと〟だと思い続けてきた。（中略）「情熱」「熱意」「執念」さえあれば、確実に手に入ると、わたしは堅く信じている」

そして、経営者としての覚悟を、次のように言い切る。

「わたしは命ある限り、日本電産の最前線で仕事を続けたいと思っている。それはわが社の若い社員たちの夢やロマンの実現を1つでも見守りたいからである」（『「人を動かす人」になれ！』）

信念の駆動力

志を立て、夢を描く。しかし、それを画餅に終わらせないためには、「心のエネルギー」を燃やし続けなければならない。

永守は、それこそが人間性の根源だと説く。

「人間は、生まれながらにして自らの人生を切り拓いていく能力を持っている。したがって、自己を信じて常に未来に挑戦することが大切だ。信ずる通りになるのが人生である」（『挑戦への道』）

信じて念ずる力、すなわち「信念」が実現に向けた機動力となるというのである。

ちなみに、「信」とは「言う人」、すなわち誓いを立てて、誠実に約束を実行することである。そして「念」とは「今を思う心」、すなわち未来を憂慮せず、過去にこだわらず、今このときという現実を直視することを指す。神頼みではなく、自ら志をもって、夢に向かって、現実を未来へと切り拓いていく心の力のことである。

稲盛は、『京セラフィロソフィ』のなかの「信念を貫く」という一節で、以下のように語っている。

「仕事をしていく過程には、さまざまな障害がありますが、これをどう乗り越えていくかによって結果は大きく違ってきます。

何か新しいことをしようとすると、反対意見やいろいろな障害が出てくるものです。そのようなことがあると、すぐに諦めてしまう人がいますが、すばらしい仕事をした人は、すべてこれらの壁を、高い理想に裏打ちされた信念でもってつき崩していった人たちです。そうした人たちは、これらの障害を試練として真正面から受け止め、自らの信念を高く掲げて進んでいったのです。

信念を貫くにはたいへんな勇気が必要ですが、これがなければ革新的で創造的な仕事はできません」

そしてそのためには、「無限の可能性」を信じるというポジティブ思考から出発しなければならないという。

「何かをしようとするとき、まず『人間の能力は無限である』ということを信じ、『何としても成し遂げたい』という強い願望で努力を続けることです。ゼロからスタートした京セラが世界のトップメーカーになったのは、まさにこのことの証明です。常に自分自身のもつ無限の可能性を信じ、勇気をもって挑戦するという姿勢が大切です」

さらには、信念が潜在意識にまで透徹する強い持続する願望にならなければならないと説く。

「高い目標を達成するには、まず『こうありたい』という強い、持続した願望をもつことが必要です。（中略）純粋で強い願望を、寝ても覚めても、繰り返し繰り返し考え抜くことによって、それは潜在意識にまでしみ通っていくのです。このような状態になったときには、日頃頭で考えている自分とは別に、寝ているときでも潜在意識が働いて強烈な力を発揮し、その願望を実現する方向へと向かわせてくれるのです」

そして信念は、試練を成長機会に変える原動力になるという。

「どんな困難に遭遇しようとも、信念さえあれば、自分を励まし、くじけずにやっていくことができます」

そのためには「立派な経営理念を作り上げ」るだけでなく、「それを信念にまで高めていくことが何よりも大切」と語る。

また、『心。』では、信念（＝思い）を忘れた日本の現状を次のように嘆く。

「いま私たちは、この思いの大切さをどこかに置き忘れてきてしまったのではないでしょうか。頭で〝考える〟ことばかりが重視されてしまっているように思えてなりません」

ところで、皆さんは理念と信念の違いをご存じだろうか？

理念は、「純粋に理性によって立てられる超経験的な最高の理想的概念」とされる。プラトンの「イデア論」に由来するものだ。稲盛流にいえば、「頭（＝理性）」で考えつくものである。

筆者はこれを「客観正義」と呼ぶ。ＳＤＧｓは、さしずめその現代版である。

それに対して信念は、自分が正しいと強く信じて疑わない思いを指す。稲盛流にいえば、「心（＝真我）」で深く「自分ごと化」したものである。筆者はこれを「主観正義」と呼ぶ。ＳＤＧｓに掲げられている世界共通の理念を自分の思いに置き換えたもの、さらにはＳＤＧｓを超える自分ならではの思いが込められていなければならない。この点については、終章でさらに深く検討することにしたい。

ミッション（使命）からパーパス（志命）へ

従来、企業には３つの軸が必要であるとされてきた。ミッション、ビジョン、バリューの３つである。

ミッションとは、天から与えられた使命である。そもそもなぜその企業は存在するのか。Why という問いかけへの答えである。

ビジョンとは、将来像のことである。その企業が目指す未来の姿はどのようなものか。What という問いかけへの答えである。

バリューとは、企業として大切にする価値観である。ミッションやビジョンを、いかにして実現していくか。How という問いかけへの答えである。

多くの企業は、この伝統的な作法を守って、自らのＭＶＶ（ミッション・ビジョン・バリュー）を神妙に唱えている。念のため、自社のホームページを見てみるとよい。他社と見比べてみることもお勧めする。次のような常套句が並んでいることに気づくはずだ。

ミッションでは、「素晴らしい明日を創るために」とか「心豊かな社会を実現するために」などが定番である。ビジョンでは、「未来創造企業」とか「社会貢献企業」などが最近の流行りである。そしてバリューでは、「真摯（または誠実）」や「挑戦」などが判で押したように並んでいる。

もちろん、間違いではないし、悪い話でもない。ただ、教科書的、優等生的すぎて、何の個性も魅力も感じられない。これでは社員はもちろん、顧客も社会も、感動したり、心から共感したりすることはまず期待できない。

そもそもミッションという言葉が的外れである。これはキリスト教からきた言葉で、イエス・キリストが弟子たちに福音を広めるようにと与えた指令を指す。そこから転じて、映画「ミッション：インポッシブル」のように上部から与えられた特殊任務を指すこともある。いずれにしても、「外（神や上層部）」から与えられた「使命」である。

ビジョンは願望、そして空想の産物である。現実の対極であることがほとんどだ。実際には、現実逃避でしかない。仏教でいえば、「此岸（現世）」に対する「彼岸（未来）」を指す。

バリューでは、守るべき掟や行動規範が唱えられる。「～すべき」「～すべからず」といった言葉が並ぶ。これも宗教における戒律と同じ類のものである。

いずれも「外付け」の教義であることで共通している。もちろん、その宗教に深く帰依している者にとっては、すがりたくなるような教えなのかもしれない。しかし、外から与えられた教えは、ありがたくはあっても、「自分ごと化」することは難しい。

MVVからPDBへ

今、世界の優良企業は、ミッションではなく「パーパス」という言葉を使う。パーパスは、一人ひとりのなかから湧き上がってくる思いの発露である。日本語では「目的」とか「意図」と訳されることが多いが、筆者はこれを「志」と呼ぶ。目的や意図が知性の産物であるのに対して、「志」は「士の心」、すなわち心性の産物でなければならない。

またビジョンではなく、「ドリーム」という言葉が好まれる。単なる絵空ごとではなく、実現したくなる夢だ。それは「見果てぬ夢」でなく、「正夢」にしなければならないものである。そのためには、稲盛や永守がいうように、カラー（具体性）に彩られた夢でなければならない。

そしてバリューは、「ビリーフ」に置き換えられている。ホームページや壁に貼ってある価値観ではなく、自らの心に深く刻まれた信念である。ジョンソン・エンド・ジョンソンの有名

図7　MVVからPDBへ

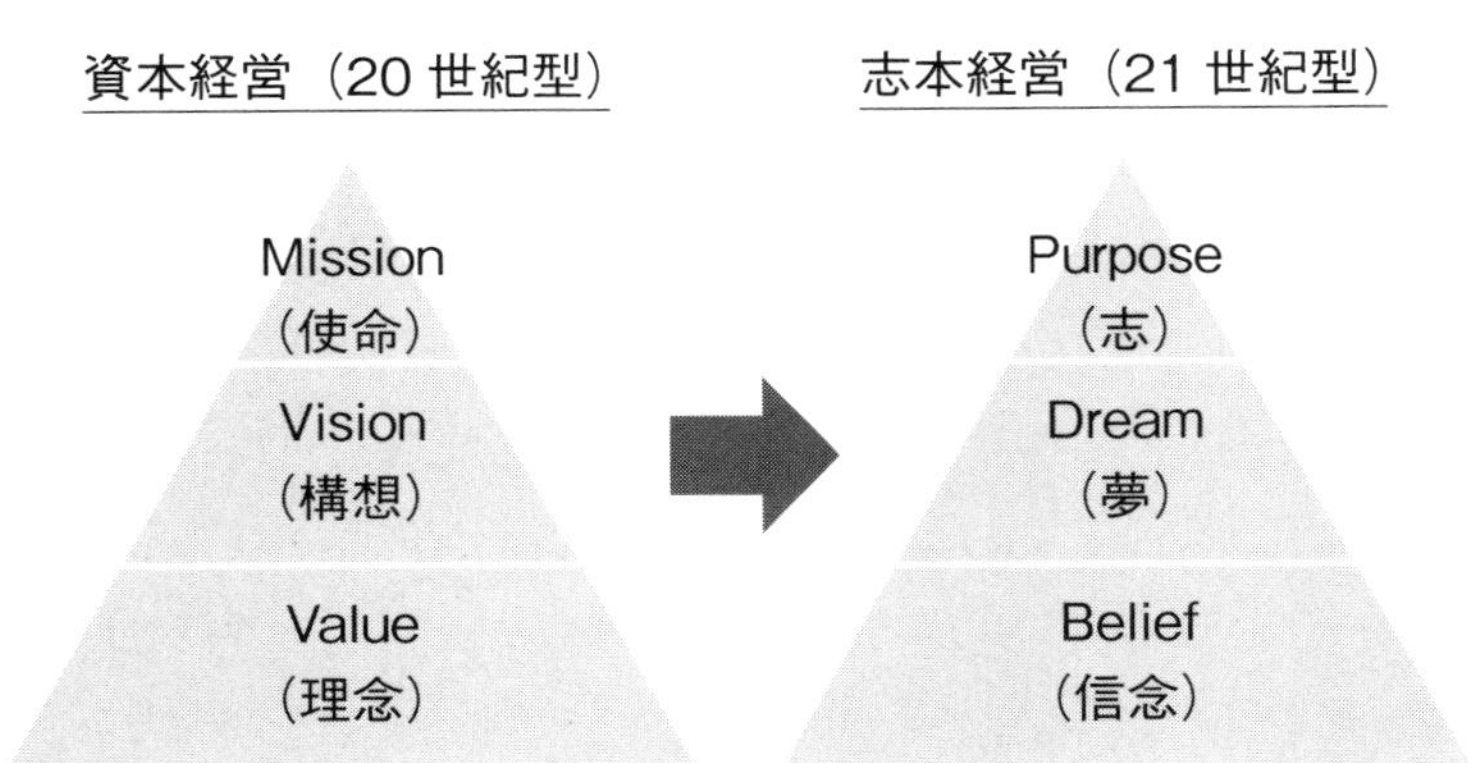

な"Our Credo"がこれに近い。ただし、日本ではなぜか「我が信条」と訳されているが、これは明らかに誤訳だ。正しくは「我らが信条」である。この「我」と「我ら」の違いがいかに重要かについては、終章で論じることにしたい。

このように20世紀に企業の軸とされたMVVは、21世紀にはPDB（パーパス・ドリーム・ビリーフ）へと進化させなければならない（図7）。MVVが外発的なものであるのに対して、PDBは内発的なものである。筆者の言葉でいえば、客観正義から主観正義へのパラダイムシフトだ。「自分ごと化」しているかどうかが、両者の本質的な違いである。

稲盛も永守も、MVVなどというお仕着せの作法とは無縁である。前述したとおり、二人とも「使命」ではなく「志命」から出発している。そして、ビジョンではなく、「色付きの夢」を見る。それからそれを、しっかりと「信念」のレベルにまで心に刻み込む。

世界は最近になってようやく、ＰＤＢという経営モデルに目覚め始めた。稲盛と永守は、これを半世紀前から実践してきたのである。「盛守」モデルは、まさに次世代の経営のあり方を、ゆるぎない実績をもって全世界に示しているのだといえよう。

わくわく・ならでは・できる！

ＭＶＶに代わるＰＤＢも、軸あわせ（アラインメント）が肝となる。ブレずにピシッと軸がそろっているかどうか。そのためには、まずＰ、すなわち志の軸をしっかりと打ち立てなければならない。

明治維新の思想的な支柱を担った吉田松陰は、志を何よりも大切にした。２０１５年に放送されたＮＨＫ大河ドラマ「花燃ゆ」で、吉田松陰が高杉晋作に「あなたの志は何ですか？」と迫るシーンを覚えているだろうか。明治維新で活躍した松下村塾の塾生たちは、「志から始めよ」というメッセージを、吉田松陰から叩き込まれたのである。

１５０年以上が経過した今、シリコンバレーでは「ＭＴＰ」が呪文のように唱えられている。Massive Transformative Purpose――直訳すると「巨大で革命的なパーパス」。デジタル経済において成功するために最も重要な必要条件だとされる。ここでも「パーパスから始めよ」である。

MTPだといかにも仰々しいので、グーグルでは「ムーンショット（月を目指すような壮大な思い）」と呼んでいる。筆者が企業変革のお手伝いをするときには、「北極星」と呼ぶことにしている。

そしてその「北極星」には、次の3要件が備わっていなければならないと筆者は説く。

1つ目が、「わくわく」。聞いただけで、思わず心が躍るような高揚感が広がるか。

2つ目が、「ならでは」。その企業の独自性がしっかり打ち出されているか。

3つ目が、「できる！」。社内の人も社外の人も、実現性を確信できるか。

一言でいえば、「主観正義」を問うているのである。SDGsの17枚のカードをどんなに並び替えてみても、この3要件を満たすことはできない。

京セラは、「敬天愛人」を掲げている。稲盛がこよなく敬愛する西郷隆盛の言葉だ。そして「心をベースに経営する」がモットーである。そこには、稲盛哲学が凝縮されている。

日本電産のコーポレートスローガンが〝All for Dreams〟であることは、前述したとおりだ。ここにも、永守哲学のエッセンスがほとばしり出ている。

こうして並べてみると、両者の違いも鮮明になる。稲盛は「大義」を大切にしている。稲盛の言葉を用いれば、それは「宇宙の意志」である。宇宙のなかに充満している「気」が自分の心を通じて発露してくる。それが「大義」であり「大志」なのである。

それに比べて、永守はそこまで壮大な思いを語っているわけではない。現実の世界のなかで、志を立て、夢を追い、信念に仕立てていく。稲盛が「霊魂」という言葉で永遠の世界、さらには来世まで思いを寄せるのに対して、永守はあくまでも現世にとどまって、そこで必死に夢を実現しようとする。

それは稲盛に比べれば「小志」なのかもしれない。しかし、凡人が志を立てることで、「歩」が「と金」として輝かしい成果を上げることができると唱えるところに、永守思想のすそ野の広がりが感じられる。禅宗で得度し、「悟り」を目指す稲盛に対して、浄土真宗の「念ずる」力を信じる永守のほうが、より庶民的な世界観に踏みとどまっているといえるかもしれない。そこに、「棲み分け理論」を生んだ京都ならではの土地柄が感じられる。

志本主義を目指せ

その永守も、最近「宗旨替え」を始めたという。

「稲盛さんは20年ほど前から心の美しさや利他ということを盛んにおっしゃられるようになりました。私は粗削りで細かいことをバンバン指摘される稲盛さんが好きだから、正直、これをどこか綺麗事と捉えていたんです。『経営はそんなに思い通りにはいかない』と。ところが、私もまた最近、稲盛さんと同じようなことを言い出しているんです（笑）。行きつくところは皆、同じなんですね」

「やはり正しいことがすべてに優先すると考えたら、稲盛さんの哲学に共感することが多くなりましたね。長年、稲盛さんとの間に感じてきたギャップがいま繋がってきた感覚を覚えているところです」（いずれも『致知』２０２１年４月号）

永守は、日本電産のグローバル経営大学校で、「１００年後も成長し続ける企業」になるためには、「世のため、人のためになる」「いなくなれば世のなかが困る」企業を目指そうと説く。そして「動く力」をテコに、人や社会の困りごとを先回りして解決する企業を志そうと語りかける。

稲盛も永守も、宗教家に限りなく近い信念を持っている。そして、志からスタートし、夢を追い続ける。そこが、「ＭＯＲＩモデル」のＭ、すなわちマインドフルの特徴である。

アメリカ西海岸を震源地として、マインドフルネス活動が世界中に広がっている。その中心地が京都であることは、第１章で述べたとおりである。日本電産のグローバル経営大学校では、海外の経営者を連れて、稲盛が得度した圓福寺と同じ臨済宗妙心寺派に属する退蔵院で、丸一日、座禅を体験してもらう。そして、英語が堪能な松山大耕副住職から、禅の神髄についての教えを受ける。

アメリカ流のマインドフルネスと日本の禅は本質的に異なる。松山禅師はそれを目的の違いと語る。

マインドフルネスの瞑想は、それによって集中力を高めたり、健康や幸福を得ることが目指される。つまり「ご利益（ゲイン）」を目的とする功利的な発想にもとづくものである。

一方、禅による瞑想は、何らかのゲインを求めるものではない。その行為自体が目的なのである。しかも「悟り」さえも目的ではないと説く。

「その結果、悟ることができたとしても、それで満足して終わってはいけないと禅では考えます。大切なのは、悟りを得たらその経験を世のために使っていくこと。禅の修行はあくまでもその手段にすぎないのです」（松山大耕『ビジネスＺＥＮ入門』講談社、２０１６年）

盛守モデルのマインドフルネスは、そのような高い志にもとづき、利他の行動を伴うものでなければならない。一過性の流行を超えたこの不易の経営思想こそ、筆者が唱える志本経営の本質である。この点については、終章でさらに深く考察してみたい。

第8章 経営の押さえどころ Objective-driven, Results-oriented

自利と利他

この章では、盛守経営における「能力」向上の方法論を検討することにしたい。結論から先にいえば、OR、すなわち目標の設定（Objective-driven）と、成果への徹底的なこだわり（Results-oriented）が決め手となっている。

稲盛は「心」の大切さを説く一方で、「数字は経営の基本」と付け加えることを忘れない。前者がフィロソフィ、後者がアメーバ経営にもとづく採算管理だ。まさに『論語と算盤』である。

稲盛経営の基本は、きわめてシンプルだ。「売上最大、経費最小」。そのためには、「値決めは経営」であり、それにコストダウンを連動させていかなければならない。そして、時間当たりの採算性を持ち込むことにより、スピードを重視し、生産性を高める。まさに、日本流オペレーショナル・エクセレンスの代表例といえよう。

稲盛経営の特徴は、それをアメーバという小集団ごとに徹底させる点にある。企業を支えるために独自の管理会計の仕組みをつくり上げ、各アメーバに採算責任を担わせる。

ただし、それだけではアメーバ単位の部分最適に陥りやすい。そこで、アメーバのリーダーは、フィロソフィにもとづいて行動することが求められる。

「リーダーは、同じ会社で働く同志として、会社全体の視野に立ち、『人間として何が正しいのか』という一点をベースに判断しなければならない。自らのアメーバを守り、発展させることが前提だが、同時に会社全体のことを優先するという利他の心を持たなければアメーバ経営を成功させることはできない」（『アメーバ経営』）

まさに「自利利他」の精神である。このアメーバ経営の実践を通じて、稲盛哲学を体得した経営者が育っていくのである。京セラ社長を10年務めた伊藤謙介、第二電電そしてＫＤＤＩの社長を9年務めた小野寺正、再生後のＪＡＬ初代社長となった大西賢らは、みな稲盛チルドレンである。

アメーバ経営を、単に自律分散型経営、あるいは独立採算管理という一面でとらえてしまうと、本質を大きく見誤ることになる。あくまでもフィロソフィとセットで導入する必要がある。

M＆Aを重ねて巨大化していったKDDIにおいても、JALの再生劇においても、この「考え方」と仕組みの一体化こそが、成功のカギであったことを忘れてはならない。

経営は数字

永守も「経営は結局は数字がものをいう」と語る。

「夢・ロマンを語ると同様に、会社の力、可能性を具体的な数字として頭にたたき込んでおくこと、これが経営者の第一条件」（『挑戦への道』）

永守は「事業の基本は販売」と言い切る。「1に販売、2、3、4がなくて、5に技術開発」が口癖だ。そしてQCDSSS（クオリティ、コスト、デリバリー、サービス、スピード、差別化）の責任を、営業に一本化する。永守経営の強みの源泉は、この圧倒的な営業力にある。

日本電産にはCSOという役職がある。他の企業には必ずいる"Chief Strategy Officer"でもなければ、最近流行りの"Chief Sustainability Officer"でもない。「Chief Sales Officer（最高営業責任者）」である。創業時から永守を支えてきた小部博志副会長が担当している。

一方、技術や生産部門は、スピードとコスト意識を徹底的に刷り込まれる。「技術過信」を戒め、市場に通用するものを生み出すことに専念させる。

「エンジニアは、自分の設計したものを客先からダメだしされたり、競争相手より劣るときは、恥と考えなければならない」(『挑戦への道』)

技術立国を目指したはずの日本は、「技術で勝って、事業で負ける」を繰り返してきた。永守経営は、そのような日本病とは無縁である。

一方で永守は、アメーバ経営のような自律分散経営にも与しない。あくまで事業所制を基本としている。いわば工場プロフィットセンター制で、日立製作所や三菱重工業など、日本の伝統的なメーカーが長らく採用してきた管理会計である。

とはいえ、日本電産では顧客が神様である。営業が示す市場価格に合わせつつ、10%以上の収益を稼ぐ力が求められる。他の日本メーカーとは段違いに、市場と直結して全社が一丸となって利益を生み出していく仕組みが徹底しているのである。

「アメーバ経営とは別のやり方であっても業績がグーンと伸びていくことを自分たちで証明した」(『致知』2021年4月号)と永守は誇らしげに話す。

ビジネススクールの管理会計の授業では、BSCやOKRなどといった目標管理の仕組みが教え込まれる。しかし仕組みそのものは、単なるツールでしかない。どんなに小賢しい仕組みを整備しても、目標(Objective)の設定を誤ったり、結果(Results)にこだわり続ける組織風土がなければ、成功はおぼつかない。

逆に一見当たり前に見えるツールであっても、経営がそれを徹底的に使いこなせば持続的に成長し続けられることを、盛守モデルは示している。洋の東西を問わず、『経営は「実行」』（ラリー・ボシディ、ラム・チャラン著、日本経済新聞出版、２００３年）なのである。

「志す」力

稲盛も永守も、「戦略」という月並みの言葉を好まない。稲盛にいたっては、「戦略」では持続的な未来は拓けないとまで断言する。

「経営をするには経営戦略が大事だ、経営戦術が大事だと一般にはいわれていますが、一生懸命に働くということ以外に成功する道はないと思っています」（盛和塾での講話、２００８年7月17日）

また第二電電の創業を振り返って、次のように語っている。

「策をめぐらし戦略戦術を練ってみたところで、あまりにも難しい事業だと、みんなが足踏みし、逡巡しているときに、『世のため人のため』というピュアな思いを信念にまで高め、ただ懸命に努力を続けた第二電電だけが、新電電のなかで生き残り成功しました。20世紀初頭にイギリスで活躍した思想家、ジェームズ・アレンが言うように、純粋で気高い思いには、すばらしいパワーが秘められているのです」（盛和塾での談話、２００７年12月11日）

では、稲盛経営には戦略は不在か？　先述した元ＫＤＤＩ会長の小野寺正は、次の稲盛の教えから、実践に役立つ知恵を学んだという。

「楽観的に構想し、悲観的に計画し、楽天的に実行する」（『生き方』）

事業を構想するときには、楽天的に考えなければ何も始まらない。一方、具体的な事業計画に落とし込む際には、悲観的にあらゆる最悪の事態を想定する必要がある。そして行動に移すときには再び楽観的になって、必ず実現すべく積極的に手を打っていく。ここでも、３拍子のリズムが稲盛経営の神髄である。

プロクター・アンド・ギャンブル（Ｐ＆Ｇ）が21世紀に入って展開している「科学的戦略策定プロセス」は、この稲盛のリズムと酷似している。最初に可能性を楽観的に構想し、次に実証実験の段階では最も批判的な立場の人財に担当させる。そして、事業化にあたっては小さく生んで大きく育成する積極的な人財に担わせる。なるほど、稲盛の時間軸のマネジメントは、世界に通用する骨太な戦略なのである。

そして稲盛がその戦略のなかで強調するのが、３拍子の最初、すなわち「志す力（構想力）」である。「日本人には目標設定能力というものがあまりないと言われています」と稲盛は嘆く。「たいへんネガティブで悲観的な考え方をすると、どうしてもいい発想が生まれません。目標設定する場合には、必ず楽観的な立場に立って考えなければならないのですが、その辺りが日本人には足りなかったのではなかろうかと思っています。まさに、現在の日本の産業界は、こ

の目標設定能力を問われているのではないだろうかと思います」（トヨタ車体での講演、1981年6月3日）

野戦の一刀流

一方の永守も、ポーター流の教科書的な戦略とは無縁である。永守といえばM&A戦略が代名詞となっているが、その本質が大きな岩の間を中小の石で埋めて石垣を築くことにあることは、前述したとおりである。「石垣作戦」である。

また大胆な投資戦略やグローバル戦略も、永守の専売特許のように考えられている。たとえばコロナ禍と米中摩擦の最中に、中国のEVモーター工場に1000億円の投資を決定したことに、世界は驚かされた。

しかし、これは永守流の「待ち伏せ戦法」の実践にすぎない。マーケットに先行して投資する。まさにサムスン電子の前会長である故・李健熙を彷彿とさせる手口である。

さらに永守の真骨頂は、「新陳代謝」にある。足し算だけでなく、引き算も躊躇なく進めていく。永守はそれを「捨てる経営」と呼ぶ。

「社内では『カメラもパソコンもなくなる。しがみつくな』と言っている。シェアが1番か2番のものは続けるが、3番以下の事業は売っていく」（『日本経済新聞』2015年1月15日付

朝刊）

これは、まさにGEのジャック・ウェルチを彷彿とさせる手口である。経営の教科書で「ポートフォリオ戦略」と呼ばれているものだが、ここまで大胆かつ迅速に意思決定できる経営者は世界でもそうはいない。このように見てくると、戦略レベルにおける盛守モデルの特徴は以下の3点だ。

第一に、自ら未来を切り拓く力。教科書的な戦略や流行りの戦略には、一切耳を貸さない。むしろ常識の裏をかくこと、ブレずに自らの信念を貫くことが盛守経営の真骨頂である。

第二に、空間をつなぐ力。製品市場も地域市場も局所戦にとらわれず、大局的にとらえて判断を下すことができる。市場から上がってくる多様な情報をいち早くつかみ、それを編集して、新しい価値創造の機会に組み上げていく力がある。

第三に、時間軸に対する柔軟な感性。市場の大きな波をとらえる先見力と、市場の変化を迅速にとらえる動体視力の良さ。その結果、市場を先回りする構想力と、想定外の市場の変化への適応力を兼ね備えることができる。

ＹＫＫの創業者である故・吉田忠雄は、このような実戦で鍛えられた一流のワザを「野戦の一刀流」と呼んだ。成功事例を後知恵で飾り立てた「戦略」という小賢しいワザなど、足元にも及ばない迫力である。

「実戦を知らない経営学者や経営コンサルの戦略論など、有害無益や」と、永守は筆者が同席する場でもよく口にする。その両方を肩書に持つ筆者自身が、最も身につまされる話である。

中核にある組織資産

企業の武器は、外付けの戦略ではなく、自社固有の資産にある。バランスシートに計上されている会計上の資産は、物的資産（モノ）や金融資産（カネ）などの有形資産である。しかし、ＩｏＴでモノがつながり、カネ余りの現代においては、それらはコモディティにすぎない。新しい価値を生み、競争力の源泉となるのは、ヒトにまつわる見えない資産である。それは大きく３つの資産に分類できる。組織資産、人的資産、顧客資産の３つだ。

盛守モデルの成功方程式は、これら無形資産によるところが大きい。以下、１つずつ検討していこう。

第一に、組織資産。組織文化や価値観などを指す。企業の中核資産だ。

稲盛経営においては、まさに「フィロソフィ」がこれにあたる。組織のすべての判断や行動は、このフィロソフィが軸となる。だからブレない。

それは「動機善なりや、私心なかりしか」であり、一言でいえば「利他の心」である。

稲盛は、これまでの科学技術をベースとした文明は、「『もっと、もっと』という利己的な欲望を原動力として進歩発展したもの」だと言う。そして、「これからは他の人をより幸せにしたい、社会全体をよくしていきたい、という利他をベースにした文明へと移っていかなければならない」(『心。』)と説く。

人間の心には、大きく2つの側面がある。欲と志だ。食欲や性欲などの欲は、生きるための必要条件だ。一方の志は、生きることに意義をもたらす十分条件となる。稲盛は前者を小欲、後者を大欲と呼ぶ。「小欲＝利己心」を「大欲＝利他心」にまで高めなければならないと説く。

筆者は、前者を欲望(グリード)に従って生きる「欲本主義(Greedism)」、後者を志(パーパス)を軸とする「志本主義(Purposism)」と呼んでいる。

利他の心は、危機のとき、逆境のときほど、力を発揮する。たとえば、今回のコロナ禍で、JALは他の航空会社同様、乗客が激減するという危機に直面した。その間、JALの社員たちは、JALが就航する国内拠点の周りで、地方創生の支援などに携わっている。いずれ市場が回復してくれば、地産地消を超えて、域外からの旅客需要を生むことにつながるだろう。まさに「『他を利する』ところにビジネスの原点がある」(『生き方』)の実践である。

永守経営における組織資産は「3大精神」である。繰り返すと、「情熱、熱意、執念」「知的ハードワーキング」「すぐやる、必ずやる、出来るまでやる」の3つだ。

いかにも旧時代的な根性論に思えるかもしれない。しかし、この組織資産こそが、日本が金融バブルやITバブルとその崩壊のなかで「平成ボケ」している間に、日本電産を日本で最も成長した企業へと躍進させたのである。

そして、これも逆境のときほど本領を発揮する。コロナ禍でも、日本電産はいち早く、WPR（ダブル・プロフィット・レイシオ）、すなわちコスト半減を断行。そして、ポストコロナをにらんで、世界に先駆けて中国への大型投資に踏み切る。その決断力と実行力は、日本電産に異次元の成長をもたらしてきた。

盛守経営の神髄は、これらの中核となる組織資産にある。戦略は、そのデリバティブ（派生品）にすぎない。特に変化が常態化した時代には、戦略の優劣に気をとられていると、あっという間に取り残される。ここで組織の羅針盤となるのは、北極星、すなわちブレない志であり、そこに向けて未来を自らの手で切り拓いていく不退転の実践力であることを、盛守経営は実証している。

基軸となる人的資産

第二に、人的資産。組織資産を実際に形成するのは、一人ひとりの社員である。盛守経営の原動力はモノでもカネでもなく、ヒトだ。ただしそれは、世間一般的な「優等生」を指しているのではない。

優等生は、自分自身や自分のキャリアに誇りをもっている。しかしその結果、自己満足に陥りがちで、自己否定ができない。そして、客観的に見て成功の確率の低いリスクを避ける。

大企業には、この手の優等生が多い。たとえば、稲盛がKDDIの黎明期に携帯通信事業に乗り出そうと提案したとき、真っ先に反対したのはNTTやKDD（KDDIの前身企業の1つ）出身のエリート集団だった。また稲盛がJALの再生に乗り出したとき、経営幹部には「ナショナル・フラッグ」という過去の栄光を引きずったエリートが集結していた。その彼らですら、いや、むしろそのような彼らだったからこそ、破綻を止められず、再生への道筋を見失っていた。

稲盛は、フィロソフィのなかで「能力を未来進行形でとらえる」ことの必要性を説く。過去の成功や失敗にとらわれるのではなく、常に未来の可能性に向かって挑戦し続けること。そのようなプラス思考が、ヒトの能力を無限大に高め続けていく。そしてそれが、企業の持続的な成長のドライバーとなる。稲盛はこの成功の法則を、当初、優等生が入社してこなかった京セラの経営で発見し、KDDIとJALで見事に再現してみせたのである。

永守は、それを「歩を〝と金〟にする」という永守一流のわかりやすいことばで表現する。日本電産は創業当初より、学校の成績ではなく、「大声試験」や「早飯試験」で新卒採用を決めていた。1978年度は「早飯試験」に合格した33名を無条件で採用。彼らはその後、同社の屋台骨を支える中核人財に育っていったという。

また企業が急成長するなか、中途入社の人財も100人規模で採っている。その際に、ぬるま湯的な大手企業からきた人財は、事なかれ主義に染まっていて使えないという。とはいえ、3流企業で「負け癖」に染まっている人財も、はなから願い下げだ。永守は、その間隙を狙う。「一度は会社が急成長し、その後に経営状況がおかしくなって、リストラや倒産で転職してきたという天国と地獄を味わった人は、貴重な人財となるケースが少なくありません」（『情熱・熱意・執念の経営』）

この定石は、買収した企業にも見事に当てはまる。経営不振に陥った企業の社員の魂に、永守哲学を吹き込むことで、人を鍛え直し、企業を立て直す。「企業の再生は、心の再生から」が永守のＰＭＩ成功の鉄則である。

盛守経営に通底するのは、「モノ」や「カネ」ではなく、「ヒト」を中核資産とした経営姿勢だ。これは、トヨタ自動車やダイキン工業など、世界に冠たる日本企業に共通する日本流経営の神髄でもある。そして、欧米流の経営モデルに毒された日本企業の多くが、平成時代に軽視してきた日本の世界遺産でもあった。

進化する顧客資産

第三に、顧客資産。京セラや日本電産などのB2B企業にとって、これは二重の意味をもつ。直接顧客と間接顧客だ。

まず直接の売り先である企業ユーザーは、「顔の見える」顧客である。顧客の課題を解決する商品を開発することで、顧客に価値を届ける。そのためには、いかに顧客との関係を築くかが成功のカギを握る。

稲盛は、「お客様第一主義」を掲げる。「お客様のニーズに対して、今での概念をくつがえして、徹底的にチャレンジしていくという姿勢が要求されます」と語る（『京セラフィロソフィ』）。それが商いの基本であり、イノベーションの源泉ともなる。

「顧客第一主義」を唱える企業は多い。しかし、実は自己都合を優先させていることが少なくない。特にメーカーは、自社の技術開発に主軸をおきがちだ。稲盛は、そのような技術中心主義を常に戒めている。

永守は例によって、わかりやすい言葉で同じ思いを語る。前述した「1に販売、2、3、4がなくて、5に技術開発」というフレーズである。

「技術を過信、妄信して消えていった企業の数は計り知れません」と永守は語る。「対外的には技術をアピールしても、『事業の基本は販売』という認識がなければ、ビジネスを成功することはできません」（『情熱・熱意・執念の経営』）。

そしてこの原則は、当然モノづくりにも当てはまる。「工場の都合にあわせてモノづくりに取り組んでいた従来の常識は、もはや通用しなくなっています」と語る。そして、「お客様やマーケットの要求を機敏に察知してそれを工場に伝えるのが、営業部門の役割」と言う。そのような顧客と同期したモノづくりを、永守は「メード・イン・マーケット」と呼ぶ（同前）。

世の中では最近、ＣＸ（Customer Experience：顧客体験）価値の最大化として注目されている考え方を、永守は50年前の創業当初から実践しているのである。

ただし、単に顧客が望む体験価値を実現するだけでは、欲望経済を助長するだけである。持続的な社会を目指すためには、顧客を正しい方向に誘導するような「マーケット・アウト（市場創造）」型の提案が求められる。

さて、では間接的な顧客に対して、いかに働きかけるか？　間接的な顧客とは、Ｂ２Ｂ２ＸのＸ顧客である。Ｘは、Ｂ（企業）、Ｃ（消費者）、Ｇ（政府）、Ｓ（社会）など多岐にわたる。ここではプッシュ型の販売力は通用しない。いかにプル型のマーケティングを展開できるか、さらには、企業ブランドをいかに広く訴求できるかが問われる。

これは、直接的な顧客向けの営業力に磨きをかけてきた京セラや日本電産のようなＢ２Ｂ企業にとって、未踏の領域である。ＫＤＤＩやＪＡＬのように広くマスマーケティングを展開してきた企業にとっても、デジタルパワーを駆使したプル型マーケティングは、まだ緒に就いたばかりだ。

いずれにせよ、顧客資産は、盛守経営にとって、価値創造方程式の起点となる資産である。これも、技術至上主義に陥りがちな日本企業が、伝統的に軽視してきた無形資産だ。一方、その弱点に気づいた優良企業は、最新のマーケティング手法を導入しようと躍起になってきた。しかし、そのように外付けの張りぼてでいくら武装しても、顧客の心に刺さる提案はできない。それが日本企業の「平成の失敗」の真因の１つである。

顧客資産を高めるためには、そもそも顧客に価値を提供する自社の人的資産を高めなければならない。そしてそのためには、企業固有の組織資産を高めることが先決である。

盛守経営の卓越したところは、この３つの無形資産の関係性を正しく理解し、それらを正しい順番で徹底的に磨き上げていったところにある。

ゆらぎ・つなぎ・ずらし

さて、盛守経営の組織モデルを検討してみたい。ただし、そこでカギを握るのは構造ではなく運動論である。

両社の組織構造が大きく異なることは、前述したとおりである。稲盛経営はアメーバ組織を基本単位としている。一方の永守は、あくまで事業所組織を基本単位とする。

誤解を恐れずにいえば、組織構造そのものは問題ではない。いかに構造化してみたところで、それは所詮、解剖図であり、静止画でしかないからだ。『世界は分けてもわからない』（講談社現代新書、２００９年）の著者で動的平衡論者の福岡伸一からは、「組織は分けてもわからない」と言われそうだ。

生命体と同様、企業の〈細胞＝組織〉も環境変化と自身の老化を先回りして、常に新陳代謝を続けなければならない。同時に、他の細胞と全体最適に向けて共振し続けるとともに、周りの生態系とともに共進化し続けなければならない。そのためには、静的な構造（メカニズム）よりも動的な力学（ダイナミズム）が重要なのである。

生命体の進化同様、組織の進化は、〈ゆらぎ・つなぎ・ずらし〉の３つのリズムが原動力となっている。これは清水博・東京大学名誉教授のバイオ・ホロニクス論（『生命を捉えなおす』中公新書、１９７８年）と、ノーベル化学賞を受賞したイリヤ・プリゴジンの散逸理論（『混沌からの秩序』〈共著〉みすず書房、１９８７年）をベースに、筆者が考案したモデルである。詳細は、拙著『学習優位の経営』（ダイヤモンド社、２０１０年）をご覧いただきたい。

稲盛のアメーバ経営は、組織に「ゆらぎ」をもたらすことに長けている。アメーバが自律的に市場に向かい、現場を回し続けることで、環境変化をいち早く察知し、迅速に行動することができる。しかしこの自律分散型の動きだけに頼ると、アメーバを超えた大きな組織運動への

「つなぎ」や、さらには生存や競争の場そのものの「ずらし」は期待できない。

そこで稲盛経営では、フィロソフィを共有することでこの弱点を補完する。アメーバの部分最適を超えて、組織全体、さらには環境全体の最適化が目指される。利他の心のパワーである。

一方、永守経営では、事業所単位でアメーバより大きな「ゆらぎ」「つなぎ」「ずらし」を仕掛ける運動論が埋め込まれている。先述した「スリーニュー」活動である。変化は新しい事業機会の宝庫である。そこで事業ごとに、そのような「ゆらぎ」のなかから新しい骨太のテーマ（事業機会）をつかんで組織内に共有し（「つなぎ」）、製品、市場、顧客を「ずらし」ていく。このような組織運動によって、新陳代謝を進め、体質転換を実践していく。

ここでも、事業単位を超えた全社的な「つなぎ」と「ずらし」をいかに仕掛けるかが課題となる。永守は幾多の変化の波頭から「大波」を察知し、それを全社テーマとして、組織横断のプロジェクトを仕立て上げる。

たとえば、２０１８年年初に、「クルマの電動化、ロボティクス、省エネ家電、ドローン用途」を４つの大波と位置付けた。それを２０１９年には、「脱炭素化、デジタルデータ爆発、省電力化、ロボット化、物流革命」の５つの大波に組み替え、２０２０年には、コロナ危機到来に伴って、さらに「脱炭素化、デジタルデータ爆発、省電力化とコロナ後、省人化、５Ｇ＆サーマルソリューション」の新５つの波に再編成している。

時代の波頭をとらえ続け、そこから大きく化けるトレンドをつかみ取る独特の嗅覚を、筆者は「永守アルゴリズム」と呼んでいる。そのような先見力をいかに組織のなかに埋め込むかが、永守経営が直面する課題である。この点も、終章でさらに検証することにしたい。

盛守経営の組織上の特徴は、このように組織のなかにセンサーを埋め込み、市場の「ゆらぎ」をいち早く察知し、それを組織全体に「つなぎ」、新しい機会獲得に向けて、大きく組織の「ずらし」を実現し続けるダイナミズムにある。

それは、前出の「両利きの経営」という表層的なモデルとは、根本的に異なる。深化と探索は別の運動であってはならない。探索などという薄っぺらな活動から本質的な「ゆらぎ」をとらえることはできない。深化の先にこそ「ゆらぎ」を見つけることができるのだ。それを組織の間で「つなぎ」「ずらし」という大きな進化を生み出していく。これが盛守流の組織運動の本質である。

失敗ゼロの経営

ＭＯＲＩモデルのＯＲでは、立てた目標（Objective）に対して、成果（Results）を出すことに徹底的にこだわる。目標は努力目標ではなく、あくまで必達目標なのだ。

他の日本企業の作法と大きく異なる点が２点ある。

まず第一に、具体的な数字に落とした中期計画は立てない。稲盛は、京セラ創業当初から、1年だけの経営計画を立てるように心がけてきたという。

「三年先、五年先となると、誰も正確な予想はできません。しかし、一年先なら、そう大きな狂いもなく読むことができるはずです。そして、その一年だけの計画を、月ごとの、さらには一日ごとの目標にまで細分化して、それを必ず達成できるように努めてきたのです」(『働き方』)

「高い目標を掲げよ(Objective-driven)」と唱えつつ、実践にあたっては「一歩一歩の積み重ねを大切にする(Results-oriented)」。この一見矛盾しているように見える教えにこそ、稲盛経営の神髄がある。

「いつも高く掲げた目標ばかり見ていても駄目なのです。あまりにも遠い道のりを歩こうとすると飽きもするし、自分の力のなさを感じてしまって頓挫してしまいます。高く掲げた目標は潜在意識にしまっておいて、一日一日を着実に歩み続けると、とてつもない所まで歩いていけるものなのです」(同前)

永守も長期ビジョンは示すが、数字を事細かく積み上げることは時間の無駄と考えている。中期計画の数字は通過点の目安にすぎない。こだわるのはあくまで長期的な高い目標と、短期的な堅実な成果である。これを筆者が「遠近複眼経営」と呼んでいることは、先述したとおりである。

一方、ほとんどの日本企業は、中期計画策定に夢中になる。ＶＵＣＡ時代に、数年先の確実な数字など予測できるわけがないことがわかっているにもかかわらずだ。その無意味さは今回のコロナ危機でさすがに身に染みたのではないかと思っていると、またぞろ、中期経営計画の修正作業に追われている。このような「中計病」を根絶し、盛守流の遠近複眼経営へと舵を大きく切り直すべきだろう。

ネバーギブアップ

さて、盛守経営の第２の特徴は、目標に掲げたことは必ず実現することである。日本企業の中期計画は、事業環境の変化などを口実に、未達で終わることが多い。もっとも、その不名誉な結果を回避するために、毎年「ローリング」と称して、環境変化に合わせて下方修正するという「特技」を磨いている企業も少なくない。だとすれば、そもそも中期計画など、無用の長物でしかない。

一方、その点はアメリカ西海岸発のＯＫＲとも異なる。前述したとおり、ＯＫＲでは、ストレッチした目標を掲げ、70～80％程度達成することがベストとされている。盛守経営では、「目標は実行可能な最高値」（『情熱・熱意・執念の経営』）を掲げ、必達することにこだわり続ける。

先述したとおり、稲盛も永守も、今まで失敗したことはない、と豪語する。たとえば、永守は、「これまでわが社で解決できなかった問題、開発できなかった新商品はありません」と語る。「理由は簡単で、途中で絶対にギブアップしなかったからです」（同前）

稲盛は「ネバーギブアップ」こそ成功の条件だとする（稲盛和夫『成功への情熱』ＰＨＰ文庫、２００１年）。また「どんな困難に遭遇しても、決してあきらめない」ことを、リーダーの役割10カ条の1つに掲げている（稲盛和夫『人を生かす』日本ビジネス人文庫、２０１２年）。「燃える闘魂」「不屈の闘志」「覚悟」などといった言葉は、いずれも稲盛経営のキーワードだ。

「もうダメだ、無理だというのは、通過地点にすぎない。すべての力を尽くして限界まで粘れば、絶対に成功するのだ」（『生き方』）

中期計画の数字などという意味のないことには、関心を示さない。しかし、高く掲げた目標は、たとえ時期がずれても、必ず達成する。それが盛守経営の流儀である。

もちろん、その過程でつまずいたり、思い通りにならないことは、よくある。しかし、そこから学んで、成果につなげていくことが、盛守経営の原則である。永守は語る。

「大きな失敗を踏み台にすることによって、より大きな成功を手にすることができるというのが、私の基本的なスタンスです」(『情熱・熱意・執念の経営』)

日本人がよく口にする「トライ・アンド・エラー」では、失敗ばかり重なる性懲りのない経営となってしまう。シリコンバレーでは「トライ・アンド・ラーン(失敗から成功の法則を学ぶ)」という言葉が好んで使われる。

「いかなる逆境をも跳ね返し、可能性を信じて、挑戦し続けるかぎり失敗はない」(『心。』)が、稲盛の信条だ。それが戦後日本の奇跡的な成長の原動力ではなかったか。そして、環境変化に翻弄されず、不撓不屈の精神を取り戻すことこそが、日本再生の道であると説く。

第9章 魂を揺さぶる

Inspire!

人を動かす経営

ＭＯＲＩモデルの最後を締めるのが、Inspire!、すなわち「魂を揺さぶれ！」である。

盛守経営は、ヒトこそが最大の経営資源としてとらえている。そしてヒトという資源が本来持つ可能性に対して、楽天的と思えるほど絶大な期待を寄せている。

前述したように、稲盛は「人間の能力は無限」と考える。そして「将来の自分になら可能であると未来進行形で考えることが大切」と説く（『生き方』）。

永守は、能力（ＩＱ）と活力（ＥＱ）をあえて分ける。そして「能力の差は5倍でも、意識の差は１００倍まで広がる」（『「人を動かす人」になれ！』）と説く。

しかし、それはあくまでもポテンシャルにすぎない。能力をどこまで引き出せるかは、各人の努力の関数だとする考え方も、盛守経営に通底したものである。

稲盛は、「人生とはその『今日一日』の積み重ね、『いま』の連続にほかなりません」と説き、そして「神が手を差し伸べたくなるぐらいまでがんばれ」と語る（『生き方』）。

永守は、自身の経営者としての経験を踏まえて、自らの確信を披露する。

「私は（創業）当時から夢やロマンを持つことは、『未来を買うこと』だと思い続けてきた。だが、これはいくら大金を積んだところで売ってくれる人はいない。自らの『情熱』『熱意』『執念』でしか手に入れることはできない。しかし、『情熱』『熱意』『執念』さえあれば、確実に手に入ると、私は堅く信じている」（『「人を動かす人」になれ！』）

そして〝人間の魅力〟について、次のように語る。

「未来に対し、自己の持つ知力と体力を結合し、それをほとばしるエネルギーに転換させるかにある。志に向かっての一途な魂の燃焼こそ魅力の根幹である」（同前）

だからこそ、「出来る、出来る、出来ると百回言おう」（『情熱・熱意・執念の経営』）と語りかける。それは単なる根性論ではなく、ヒトの意識がもたらすパワーに対する深い洞察にもとづくものである。

したがって、盛守経営では、ヒトという資源を磨き上げ、もてるポテンシャルを最大限に引き出すことこそ、リーダーの最大の役割だと位置付ける。言い換えれば、リーダーは、ヒトの心に火をつけることに知恵と時間を使わなければならない。

永守は「人が足りない」のではないという。足りないのは、「人の教育、そして、仕事への工夫」だと説く（『挑戦への道』）。

自律型のアメーバ経営を実践する稲盛に比べて、永守はワンマン経営者とみなされがちだ。しかし、永守は「人を動かすというのは、強権を発動して自分の命令通りに動くロボットやイエスマンをつくることではない」と言う。

「本人の成長を第一に考えて、そのことと会社の発展とを絡み合わせた的確なアドバイスを行ったとき、人は自分の意志で行動を起こすようになる」

これは、永守の主著『「人を動かす人」になれ！』からの引用である。ここでは、同書から、永守経営の本質に迫ってみよう。

「人を動かす人（＝真のリーダー）」になるための基本要件は何か？　それは「人の心を知ること」に尽きると永守は看破する。

「十人十色、百人百様の性格や個性を持つ部下を思い通りに動かそうと思えば、人情の機微を知ることである」

ただし、それは部下におもねるということではない、とも語る。

「わたしの言う人情の機微とは温情と冷酷さを併せ持ち、この相反する2つの感情のバランスをいかにうまくとるかということである」

相手の土俵に立つ

では、そのためにはどうするか。永守は、2つの具体的な行動を提唱する。

1つ目は「聞き上手」になること。「部下の描いたドラマのなかに飛び込んで、一緒にドラマを演じる、そしてともに感動する。この感動が部下との強い信頼関係を築き上げていく原動力になるのである」。

2つ目は「部下の目線」に立つこと。そして「相手の土俵にあがって自分の相撲をとれ」と語る。「あくまでも主役は相手で、それを引っ張っていくのが自分」。

筆者はこの5年ほど、永守を近くで見る機会が頻繁にあったが、その都度、永守流の人心掌握術に目を見張らされた。まず、上から目線ではなく、相手の立場に立って厳しいが役に立つ助言をする。それも抽象的な経営論ではなく、自分の体験にもとづく平易な言葉で語りかける。そして最後に「期待してるで!」と背中を押すことを忘れない。

世の中では永守は、「強面のカリスマ経営者」とみられがちだ。しかし、知れば知るほど、永守の人間洞察力には舌を巻く。「部下の痛みを自らの痛みと感じ、共に分かち合うことのできる人間こそ、心で人を動かすことができる一流の人間」という信念に、永守経営の神髄がある。そして経営者は、「『人間』に関して幅広い勉強を続けることが必要であり、それが経営の感度をたかめることになる」と説く（『挑戦への道』）。

一方の稲盛は、「利他の心」や「大義」「正道」を語り続けることから、きわめて人徳に溢れた経営者とみられがちだ。もちろん、そのとおりなのだが、だからこそ、人間の弱さや私欲についてもよく見抜いている。そのうえで、神学論を振りかざすのではなく、自らの体験にもとづく信念を、相手の立場に立って、全精力をかけて語りかける。

稲盛経営と永守経営は一見まったく違う流派のようでいて、「人を動かす」という点において、その本質は寸分も違わないのである。

圧倒的な当事者意識

盛守経営には、共通の人間観が脈打っている。それは「圧倒的な当事者意識」をもつことによって、人は行動を変え、見違えるようなパフォーマンスを出すようになるという信念である。「圧倒的な当事者意識」という言葉を使ったのは、リクルート創業者の江副浩正である。この言葉は、現在もリクルートの行動原理となっている。その結果、創業後60年が過ぎた今も、リクルートは社員全員が「燃える集団」となっている。

本田宗一郎も、数々の語録を残している。そのなかで、最もホンダ魂を象徴する言葉が「お前はどう思うんだ？」という問いかけである。この言葉は先述した「やってみもせんで」という言葉とともに、創業70年を超えた今のホンダで、ホンダフィロソフィ教育の礎となっている。ホンダがよみがえるかどうかは、一人ひとりがこの精神を自分ごと化できるかどうかにかかっているといっても過言ではないだろう。

稲盛も永守も、「圧倒的な当事者意識」という言葉は使わない。しかし、異口同音に同じ精神を語り続ける。

たとえば稲盛は、「一日一日をど真剣に生きる」ことを説く（『生き方』）。そして、そのような思いが行動の原動力となると語る。「どうしてもこの仕事がしたいという思いが、せきを切ったように行動にかりたてるのです」（『心を高める、経営を伸ばす』）。

『京セラフィロソフィ』には、次のような稲盛語録が並ぶ。

「渦の中心になれ」

「みずからを追い込め」

「土俵の真ん中で相撲をとれ」

そこには、「もうダメだというときが仕事の始まり」という経験則が脈打っている。その思いを語っているくだりを引用しよう。

「ものごとを成し遂げていくもとは、才能や能力というより、その人のもっている熱意や情熱、さらには執念です。すっぽんのように食らいついたら離れないというものでなければなりません。もうダメだ、というときが本当の仕事のはじまりなのです。

強い熱意や情熱があれば、寝ても覚めても四六時中そのことを考え続けることができます。それによって、願望は潜在意識へ浸透していき、自分でも気づかないうちに、その願望を実現する方向へと身体が動いていって、成功へと導かれるのです。すばらしい仕事を成し遂げるには、燃えるような熱意、情熱をもって最後まであきらめずに粘り抜くことが必要です」

脱ゆでガエル

この「情熱、熱意、執念」は、前述したように永守３大精神の最初に掲げられている。そして「知的ハードワーキング」がそれに続く。永守経営の原典ともいえる『挑戦への道』では、次のように語られている。

「ハードワーキングこそ、企業成長の原理原則」

「世界のどこへ行こうとも、他の企業に比べて一味違う成長を遂げている会社は『ハードワーキング』という点で共通している。成長の陰には必ずハードワーキングがある。ソフトワーキングで成長している企業はない」

「企業の発展を担うのは、たった一人の天才ではない。ガンバリズムをもった協調性のある凡才の絆こそ、組織の原動力である」

その結果、3項目に掲げられた「すぐやる、必ずやる、出来るまでやる」という行動が自発的に生まれる。これが永守経営の原点である。

日本電産の社内には、いたるところにアニメ調のタッチで描かれたポスターが張られている。いずれも、トレードマークの緑色のスーツとネクタイを身に着けた永守が、経営のキーワードをわかりやすく語りかけているものだ。そこには、次のようなスローガンが並ぶ。

「頂点への道は三大精神にはじまる」

「君がやらねば誰がやる！（永守）〜任せてください！（社員）」

「打ち破れ!! 6つの悪因」

ちなみに、6つの悪因とは、マンネリ、諦め、怠慢、妥協、おごり、油断だ。いずれも大企業病の症状である。

ここ数年、永守はシールの束を持ち歩いているらしい。そこには「ゆでガエル」現象に浸りきったカエルの絵が描かれていて、前述のような6つの悪因を見つけたら、さっとこのシールを背中や机に貼り付けるそうである。他の企業なら「パワハラ」扱いされかねないが、この何とも永守らしいユーモラスでわかりやすいメッセージは、とても効果的だ。皆、ゆでガエルの烙印を押されないよう、日々、初心に返り、緊張感にあふれて仕事をしている。

大企業病のもう1つの典型的な症状が、「リスク回避」である。変化が常態化する時代において、リスクをとらないことが最大のリスクになることを、永守は熟知している。そしてこの落とし穴にはまらないためにも、「加点主義」を貫く。

「怠けた結果の失敗は徹底した叱責の対象となりますが。評価が下がることはありません。前向きな取り組み行動については、結果のいかんを問わずプラス評価を行います」(『情熱・熱意・執念の経営』)

最近、減点主義から加点主義への移行を試みる企業は、少なくない。しかし、その多くが失敗を徹底的に「叱責」することまで放棄してしまう。そのような「社員にやさしい」企業は一見社員にとって居心地がよさそうでいて、実は社員の将来の可能性を摘み取ってしまうようなところなのだ。

個人に正しい「自律」を促すためにも、組織としての「規律」が求められる。この一見矛盾した経営原理もまた、盛守経営の共通点の1つである。

大善と小善

稲盛は、このような経営の基本原理を「小善は大悪に似たり、大善は非情に似たり」と表現する。そもそもの由来は、戦国武将・武田信玄の言葉らしい。

「もし、信念もなく、部下にただ迎合している上司ならば、決して若い人たちのためになりません。それは若い人たちにとっては楽ですが、その気楽さは彼らをだめにしていくはずです」（『心を高める、経営を伸ばす』）

ただし、「叱り方」にはそれなりの流儀があるとも言う。インタビューのなかで、稲盛は次のように答えている。

「私は、叱られる人の人格を傷つけるような叱り方はしていないつもりです。その人がやったこと、仕事に対して、『なぜお前はこういうことをしたんだ。これはこうあるべきではないか』と厳しく叱るわけです。けれども、相手をただけなすようなことはしません。（具体的には）人間的に少し、ねじれた見方をしている部下に対しては厳しく叱ります。突き詰めて考えれば、その人の人間性にいきつく場合は、懇々と諭します。あと、会議で報告された数字を聞き、叱ることも多いです。なぜ売り上げが上がったのか、下がったのか、経費がこれだけかかったのはなぜか、きちんと説明ができず、また問題に対する対策も考えていないようなら、発表者を厳しく注意します」（『週刊朝日』２０１３年9月30日号）

いかにも稲盛らしい「正しい厳しさ」である。そしてＪＡＬ再生のときにも、一貫してこのような厳しい姿勢を貫いたという。

「当時のＪＡＬ幹部は、エリート意識が強く、私の言うことを素直に聞かず、会社経営はこうあるべきだと説いても、何を今更言っているのだと半信半疑の様子でした。日々の会議や打ち合わせでも、『君らは評論家か』『俺は君らの親父かじいさんぐらいの年なんだから、素直に言うことを聞け』とずいぶん叱りましたね。（中略）毎日毎日、機会をとらえては叱っていたんです。すると、78歳の年寄りが給料ももらわず、必死になって会社を再建している姿が社員の心を動かしてくれたのでしょう。私の考えに納得してくれた人が一人現れると、連鎖反応のように広がっていきました。私が提唱する経営哲学や、『全社員の物心両面の幸福を追求する』という経営理念が一気に会社全体に浸透していきました。ＪＡＬは確実に変わり始めたのです」（同前）

もう一つ、「大善」の本質を物語るエピソードを、稲盛自身が披露している。

「ある時、あんなに毎日怒られてよく部下がついていくなと思って、誰かが私にしょっちゅう怒られているある幹部にその理由を尋ねました。するとその人は、『怒られて社長室を出ていこうとして振り返ると、必ず社長がニコッとして「ありがとうね」と言っている。その姿を見ただけで嫌なことが全部消えてしまう』と答えたそうです」（『ダイヤモンド・ハーバード・ビジネス・レビュー』２０１５年9月号）

心を込めて叱る

永守も異口同音に同じ信念を語る。再び『「人を動かす人」になれ！』から、永守語録を拾ってみよう。

「人に嫌われたくないという本能を捨てろ！」

「厳しさの中にこそ、より深い愛情がある」

「愛情に裏打ちされた厳しさがなければ、強いリーダーシップを発揮することなどできるはずがない」

なかでも『「褒め殺し」ということばは言いえて妙』、と言うくだりが、いかにも永守らしいブラックユーモアを感じさせる。「人をダメにするのは実に簡単だ。相手を徹底的に甘やかせばよい」。

だから永守は叱る。「社員教育の基本は、叱ることに始まり叱ることで終わる」(『挑戦への道』) と言うのだから、筋金入りである。『「人を動かす人」になれ！』に戻り、永守の流儀を再び拾い上げてみよう。

「長所があるから叱れる」

「叱り方もワンパターンではなく、使い分ける」

「相手をこきおろして闘争心に火をつける方法もある」

もちろん、叱るだけではない。「成果を上げたら少し過大評価をしてその気にさせろ！」とも言う。このメリハリこそが、いかにも永守流の人心掌握の妙である。

筆者がこの10年間、近くで見てきたもう一人の天才的経営者が柳井正だ。柳井も社員に対する厳しさは半端ではない。その心を、次のように語る。

「僕は、人間の可能性をトコトン信じていますから、社員に対しても容赦なく指摘します。社員にただ好かれることが経営者の役割なんですか。それは違うでしょう。経営者が担っているのは、シビアな経営責任なんですよ」

そして、社員を甘やかすことは、社員にとっても失礼であるという。社員のポテンシャルを徹底的に引き出し、磨くことこそ、経営者の責任だとする。「パワハラ」批判を恐れて、この根源的な経営責任を放棄し、「小善」に甘んじている経営者が、社員を、そして企業をダメにする。そのような「緩い」経営者が増えたことが、平成の失敗の真因の1つではないだろうか。

「働き方」から「働きがい」へ

それはまた、平成時代に日本全体が踏み込んだ迷路の結末でもある。たとえば、モーレツ社員は古い、ブラック企業批判、パワハラ防止などといった、一見正しそうな価値観の蔓延。そしてその最たるものが、「働き方改革」という官民挙げての茶番劇である。それは、「働くことは非人間的」という前近代的な労働観への退化以外の何物でもない。

稲盛の言葉を、『生き方』から拾ってみよう。

「働くことは人間にとって、もっと深淵かつ崇高で、大きな価値と意味をもった行為です。労働には、欲望に打ち勝ち、心を磨き、人間性を作っていくという効果がある（中略）。ですから日々の仕事を精魂込めて一生懸命に行っていくことがもっとも大切で、それこそが、魂を磨き、心を高めるための尊い『修行』となるのです」

「仕事をとことん好きになれ――それが仕事を通して人生を豊かなものにしていく唯一の方法といえるのです」

「つらい仕事を生きがいのある仕事に変えていくことが必要です。それには仕事を好きになることです」

「自分の仕事がどうしても好きになれないという人はどうすればよいか。とにかくまず一生懸命、一心不乱に打ち込んでみることです」

「仕事の楽しさとは苦しさを超えたところにひそんでいるものなのです」

「悟りは日々の労働の中にある」

「人は仕事を通じて成長していくものです。自らの心を高め、心を豊かにするために、精いっぱい仕事に打ち込む。それによって、よりいっそう自分の人生をすばらしいものにしていくことができるのです」

稲盛は、「労働の尊厳」を説く。そして日本人が古来大切にしてきた労働観を、平成の惰眠に浸る日本人がすっかり失ってしまったことを嘆く。

「厚生労働省などが労働時間の短縮を目指していることも問題」と言う。そして「これは人間を堕落させてしまう」と警鐘を鳴らす（『稲盛和夫の哲学』）。

先述した哲学者・梅原猛との対談のなかで、稲盛は次のように語っている。

「『働く時間をなるべく少なくして、楽してお金を稼ごう』という最近の風潮は、人間性を高めていくという、労働が本来持っている崇高な意義を捨て去り、人間を成長させる貴重な機会を、われわれから奪っていることになるのです」（『哲学への回帰』）

「お釈迦様は『六波羅蜜』で、『精進』（一生懸命働くこと）を通じて、人間は成長していく、つまり、働くことは、心を磨くことであり、人間をつくるうえで最も大切な要素でもあると言っています」（同前）

また前述したように、山中伸弥との対談では、「VW」こそが国や業界の違いを超えた組織の駆動力だという点で、強く共感しあっている。VWとはビジョン&ワークハードだ。今の日本にはビジョンという画餅があったとしても、「ワークハード」という規律が欠落している。

それでは未来は拓けない。

「花金」から「花月」へ

「知的ハードワーキング」の看板を掲げ続ける永守ほど、前節の稲盛に共感する経営者はいないだろう。永守は「仕事ほどたのしいことはない」（『「人を動かす人」になれ！』）といえるかどうかが、一人ひとりの成長、そして総和としての企業の成長を決定づけるという。

ここに、永守一流の問いかけがある。

「日曜日の夜が楽しく、月曜の朝はもっとワクワクするか？」（同前）

「花金」ならぬ「花月」である。これは結構、しびれる問いかけではないだろうか？

「ブルーマンデー」という言葉をご存じだろうか？　カクテルの話ではない。月曜日になると、通勤や通学で一挙に憂鬱になるという症候群だ。ちなみに日本では「サザエさん症候群」という言葉がある。サザエさんが悪いのではない。「サザエさん」が放映される日曜の夕方のなんとも暗い気分を指すらしい。

リモートワークが常態化してくると「痛勤」や「痛学」は過去のものとなる。しかしそうなると、仕事そのもの、勉強そのものが苦痛だという現実が、より鮮明になる。それだと、週の大半、すなわち人生の大半を苦痛のために時間を浪費していることになる。

前述したように、永守は2016年に大きく残業ゼロに舵を切った。一見「ハードワーク」の看板を下ろしたかに見えるが、実はより密度の濃いハードワークを求めているのである。8時間の労働時間中の生産性を2倍に上げることにこそ、主眼があるのだ。

筆者の大学時代の学友で、経済産業省審議官を経て現在は日本電気（NEC）の副社長を務める石黒憲彦との対談のなかで、永守はその真意を次のように語っている。

「日本電産は短期間で全面的に働き方を変えようとしていますが、単に残業を減らし、曜日を決めて早く退社を促す、といった多くの日本企業で行われている『働き方改革』とは全く違うものです。そういうものは『改革』と呼ぶに値しません。我々が理想とするのはドイツの企業です。彼らは残業をせず、夏休みを1カ月も取りながら、高い利益率を達成しています。マイスター制度で社員をしっかりと育成している上に、指導者の力量もあって無駄のない働き方が徹底されているからでしょう。生産性だけで見れば日本はドイツの約半分です。ドイツ並みの働き方をするにはどうすればよいか。残業をゼロにして、生産性を2倍にすればいい。そうすれば実現できると考えたわけです」（『日本経済新聞』2018年6月11日付朝刊）

筆者がマッキンゼー・アンド・カンパニー時代に、ドイツオフィスのパートナー評価を担当していた際に、多くのドイツ企業とドイツ人の働き方を目の当たりにしたときの光景を思い出す。早朝からジムやプールで体を鍛えてから出勤、夕食時には帰宅して家族と一緒に過ごす。

しかし、勤務時間中の生産性は、だらだらと会議やデスクワークに時間を浪費する日本人を凌駕する。

ワーク・イン・ライフ

経済協力開発機構（ＯＥＣＤ）の統計によると、２０１０〜16年の日本人の時間当たりの平均生産性は、ドイツ人の３分の２（ちなみに、ノルウェー人の半分）。一方、勤務時間の長さは、ドイツ人やノルウェー人の１・５倍。つまり長時間働くことで、生産性の低さをカバーしていたのである。

ところが、「働き方改革」で残業ゼロを実現すると、日本人の生産性は一挙に低下してしまう。これでは中国やアジアの新興国どころか、欧米にもまったく歯が立たなくなってしまう。それは成熟という美名のもとの衰退でしかない。生産性の倍増なき働き方改革は、50年前の「イギリス病」と同じ亡国への道を意味する。

そもそも「ワーク・ライフ・バランス」という考え方そのものが間違いの発端である。ワークは自分の時間の切り売りであり、ライフでようやく本来の自分を取り戻す。これでは労働は人を資本に隷属させるものでしかないという19世紀型の労働観に陥ってしまっている。そもそも人生の多くの時間を仕事に費やすことの意味が問われているのである。

世界の先進企業は、「ワーク・ライフ・インテグレーション」というスローガンを掲げ始めた。アマゾン・ドット・コムの創業者ジェフ・ベゾスは「ワーク・ライフ・ハーモニー」を唱える。

筆者は「ワーク・イン・ライフ」そして「ライフ・イン・ワーク」という概念を提唱している。「生活のなかに仕事があり、仕事のなかに生活がある」という意味合いだ。これはアフターコロナ、そして新常態におけるリモートワーク主体の生活とも親和性が高い。そしてこのような改革を、「働き方改革」ではなく「働きがい改革」と呼んでいる。

伊丹敬之・一橋大学名誉教授（現・国際大学学長）は、日本企業の大成長の原動力が、ヒトを基軸とした日本型システムであったと論じた。そしてそれを「人本主義」と名付けた（『人本主義企業』筑摩書房、１９８７年）。

しかし、これまた皮肉なことに、その直後、日本企業の多くはこの経営原理を、前近代的なローカルルールだとみなし、アングロサクソン型の資本主義経営へと傾斜していく。それが「失われた30年」に重なったことは、決して偶然ではあるまい。

その後、伊丹氏は「人本主義は死んだのか?」というインタビュアーの問いに、こう答えている。

「少なくとも日本電産や京セラでは生きてるよね。どちらも社員に厳しい会社だけど、情がある。ついていけない人は自発的に辞めているんだろうけど、残った人たちは頑張るでしょ。両社に共通しているのは管理会計をきちんとやっていること。自分たちが頑張った成果がきちんと数字で表れる。これは大事です。会社は株主のものか、それとも社員のものか、というけど、人本主義をちゃんとやれば、株主にもメリットがあります」(『日経ビジネス』２０１５年７月31日号)

盛守経営は、日本古来の、かつ世界的に最先端の労働観を標榜している。最近の「緩い」風潮のなかで、稲盛や永守を「ブラック企業」の元祖扱いする報道やインターネット上の書き込みが散見される。嘆かわしい限りだ。「働くことの意義」を説くことに勇気がいるという時流そのものを、稲盛や永守、そしてそれに続く柳井やさらには新世代の髙島宏平(オイシックス〈現・オイシックス・ラ・大地〉創業者)らが払拭していくことを、心から期待したい。

リーダー育成

では組織を、そのような形でInspire!するのは誰か?

稲盛はアメーバ経営を通じて、「全員経営」型経営を目指す。一方、永守は、全員経営が無責任経営や誰も決められない経営に陥るリスクに警鐘を鳴らす。しかし、社員全員のベクトルをそろえることで全員参加型経営を目指している。

そしてこのような全員経営、全員参加型経営を実現するには、経営者や次世代リーダーたちの力量が問われる。

稲盛は、アメーバ経営の真の目的は、リーダー育成にあると語る。

「組織を『アメーバ』と呼ばれる小さな組織に分割することで、会社を中小企業の連合体のような構成にします。各アメーバの経営をリーダーに任せることで、経営者意識を持った人材を育成します」（「稲盛和夫 OFFICIAL SITE」）

永守も、「組織をダイナミックに動かしたいのであれば、経営者は何はともあれ強い幹部候補生を選び、自らの手でより強いリーダーに育てる」（『挑戦への道』）必要があると説く。そして、ライオンは我が子を谷底に落として、そこから這い上がってきた子をリーダーに育て上げるという、いかにも永守好みのジャングルルールを披露する。

永守は、また例によって、わかりやすいエピソードを持ち出して問いかける。

「1匹の狼のリーダーをもつ49匹の羊の軍団と、1匹の羊のリーダーをもつ49匹の狼の軍団が戦えば、どちらが勝つと思うか？」

もちろん、答えは前者である。永守は続けて、「リーダーの強さがそのグループの勝負を決する」と語る。

そして、そのようなリーダー人財を外部に頼るわけにはいかないのだと。

「世の中でプロ経営者と言われる人たちを外部から採用しました。しかし結果はゼロ。経営を任せられる人はいませんでした。日本にはプロ経営者はいないということがよく分かりました。結局、自分で育てるしかないと」(『週刊ダイヤモンド』２０１９年10月26日号)

稲盛も永守も人財育成を最重要経営課題として位置付け、最も多くの時間を割いている。20世紀最高の経営者と謳われたＧＥのジャック・ウェルチ元ＣＥＯは、リーダー育成機関として有名な同社の「クロトンビル研修所」などで、次世代人財育成に自身の総時間の40％を割いたといわれている。稲盛や永守に関する定量的な情報はないが、ＯＪＴを加えれば80％を超える時間の投資をしているはずだ。

永守は、リーダー育成にかかる時間と費用を、次のように見積もっている。

「一人の経営者を作ろうと思えば、最低10年の歳月と10億円の投資が必要」(『「人を動かす人」になれ!』)

グローバル経営大学校

実際に、両者とも次世代リーダー教育プログラムに並々ならぬ「情熱・熱意・執念」を燃やしている。しかも社内のみならず、世の中の人財育成にまで、大きく手を広げている。

稲盛が「フィロソフィ」教育に最優先で取り組み、目覚ましい成果を上げてきたことは、京セラ、ＫＤＤＩ、そしてＪＡＬで実証済みだ。また京都賞や盛和塾を通じて、自社を超えて日本中、そして世界中の次世代経営者育成に力を注いできたことも、前述したとおりである。

永守も「経営マインドをもった人財がまだまだ不足している」（『挑戦への道』）ことを、最大の経営課題だとして位置付けている。そして、「永守経営塾」や「グローバル経営大学校」で、永守経営哲学の伝道に多くの時間を使っている。さらに、永守賞や京都先端科学大学の運営を通じて、世界中の次世代人財の発掘と育成に乗り出していることも、前述したとおりである。

他の日本企業も、欧米の著名ビジネススクールに人を派遣するといった「お手軽系」のプログラムではなく、自社で独自の経営者育成プログラムを展開しているところが増えてきた。しかし、その中身をみると、外部の研修機関に一任する「お任せ系」であったり、逆に経営者が自分の思いや経験談を刷り込む「お手盛り系」であったりすることが多い。このような気休めのプログラムから、真の次世代経営者が育つわけがない。

それに対して、筆者も協力しているグローバル経営大学校は、本気度がケタはずれだ。世界中の次世代経営者候補に対して、永守自らが徹底的に永守経営の神髄を叩き込む。一方で、前述したように禅寺で修行体験をするとともに、世界・日本の最先端の経営変革手法を実践的に学ぶ。最後は、自社の変革プログラムを提案させ、実践結果を１年後に再度発表させる。

その狙いと成果を、永守は次のように語っている。

「この研修では当社の全世界基準であるNidec Wayや、グローバルでビジネスをするためのMBAに近いようなことも教えていますが、テキストだけでなく、生きた知識として私のこれまでの体験談をいろいろと話しています。これらを学ぶことで、社長とは何かということを感じてもらい、トップを目指す者としての覚悟を持ってもらう。そうやって『ミニ永守』が増殖していくわけです。すでに卒業生が40人くらいいますが、本国に帰って社長や何百人という組織のトップになっている者もおり、影響力も強い。グローバル経営大学校での教育は生きていると感じています」（『週刊ダイヤモンド』２０１９年10月26日号）

このプログラムには、海外子会社のＣＸＯ（Chief ～ Officer）クラスも参加している。たとえばドイツの子会社から参加したフォン・バウアーＣＦＯは、次のように語っている。

「（このプログラムは）素晴らしいコンセプトで小さなＭＢＡ（経営学修士）といえるクオリティーがあります。最も重要なのはネットワーキングです。経営トップや他部署のリーダーと関係性をつくることもできます。

私は日本での研修で永守流のフィロソフィーをより深く理解しました。（中略）日本電産のにおいやカルチャーが感じられるにせよ、その内容の多くはユニバーサルなもので大変な価値があります。永守さんの言葉は分かりやすく、全員がこれを理解して行動すれば、エクセレン

トカンパニーになります」（同前）

バウアーは帰国後、欧州にも同様のトレーニングセンターを立ち上げるべく、検討に入っている。まさに自分ごと化と即実行という教えを実践している。

稲盛と永守の狙いは、真のリーダーを育てることにある。そして真のリーダーとは、志を高く掲げ（M）、目標達成に執念を燃やし（OR）、人の心に火をつけることができる（I）人財を指す。まさにMORIモデルそのものである。

あえて違いを挙げるとすれば、どのファクターにより重きをおくかである。稲盛は「大義」を最重視する。Mファクター、すなわちMindfulへの思いが強い。一方、永守は「人を動かす」ことを最重視する。Iファクター、すなわちInspire!が真骨頂である。MORIの4ファクターを並べてみると、稲盛経営は「前輪駆動」、永守経営は「後輪駆動」だといえるかもしれない。ただし、他の2輪も自律的に回り続けている「全輪駆動」が大前提だ。

しかもリーダーの本質的な役割については、どちらもまったくブレることがない。それは「変革」を仕掛け続けることである。

危機感ではなく志命感

では、変革のトリガーは何か？　一般に「危機感」が変革のトリガーだととらえがちだ。しかし稲盛は、危機感ではなく、志こそがカギだと説く。たとえばＪＡＬはまさに危機に直面していたが、危機感だけでは真の変革を起こせなかったという。

「ＪＡＬには倒産の実感があまりなかった。（中略）リーダーの強い願望と志命感がなければ更生はできないと幹部社員と議論した」（「日本記者クラブ会見レポート」２０１１年2月8日）

同じインタビューのなかで、日本が陥った平成の失敗についても次のように語っている。

「（日本経済の低迷について）リーダーたちの強烈な願望が欠落していたのではないか。この20数年、眠っていたのではないか。問題は経営者の意欲だ。このままでは日本はじりじりと自滅する」

永守は、「危機感＝悲壮感」では、何も解決されないと言う。そして、「前向きな危機感＝志命感」をもって、絶えず気持ちを引き締めて物事にあたることの大切さを説く。

「『大変な時代になったが、これだけのことをやれば大丈夫だ』という明確な指針をトップ、リーダーが示してはじめて、危機感をバネにすることができる。夢やロマン、目標や指針のない悲壮感では、人を動かすのは不可能だ」（『「人を動かす人」になれ！』）

永守も、「今の日本には真のリーダーが不在」と嘆く。そして志の高いリーダー候補の育成を目指して、私財を投げうって京都先端科学大学の経営にまで乗り出している。筆者も微力ながら、２０２２年春にスタートする（同大学の）ビジネススクールを、全力で支援させていただくことにしている。京都から、真のグローバルリーダーが巣立っていく日がくることを、ぜひ期待していただきたい。

終章 「盛守」経営の未来

Purpose & Profit

資本主義の破綻は、今や誰の目にも明らかだ。しかし、その先が見えない。

２０１９年8月19日、衝撃的なニュースが世界を駆け巡った。アメリカの有力経営者の団体であるビジネス・ラウンドテーブル（ＢＲＴ）が、「Statement on the Purpose of a Corporation（企業の目的に関する声明）」を発表したのだ。この声明のなかで、これまで金科玉条であった「株主第一主義」を「マルチステークホルダー主義」に改めると宣言したのである。株主だけでなく、顧客や社員、社会へも配慮する経営にシフトするというのだ。

とはいえ、アメリカ企業が、急に利他主義に宗旨替えしたわけではない。長期株主が「ＥＳＧ」経営へと投資方針を大きくシフトし始めた動きを、もはや無視できなくなったことが、その背景にある。環境（E）や社会（S）を搾取して、自社の利益の最大化を図ることは、長い目で見ると企業価値の破壊につながる。したがって今回の動きは、「株主資本主義2・0」を標榜したものというのが実態である。いわば体のいい資本主義の延命策にすぎない。

ただし、その背後で「パーパス経営」への大きな地殻変動が、世界規模で進み始めていることを見逃してはならない。前述の声明も「パーパス」を謳っている。さらに、世界最大の資産運用会社であるブラックロックのラリー・フィンクCEOは、2019年、20年の2年にわたり、“Purpose & Profit”というタイトルのレターを主要投資先のCEOに送っている。その企業の本質的な存在理由、すなわち「Sense of Purpose（志）」が、何にもまして重要であると説く。Profit（利益）は、その結果であって目的であってはならないというのである。

これは渋沢栄一が唱えた「論語（Purpose）と算盤（Profit）」にほかならない。100年たって、欧米がようやく日本的な価値観に歩み寄ってきたのだ。

しかし、日本企業の多くが、平成の30年間、欧米型資本主義に迎合して、ROE経営やコーポレートガバナンスなどといった舶来思想に流されてしまったことは返す返すも残念だ。周回遅れどころか、時代に逆行する迷走ぶりである。

そのなかで、稲盛と永守は、日本本来の正しい倫理観、労働観、企業観からブレることなく、社会価値と企業価値の向上を目指し続けてきた。時に時代錯誤やブラック企業とまで揶揄されながらも、結局、今や世界最先端の経営を追求し続けてきたのである。

日本では、今また「ＳＤＧｓ」という季節風が吹き荒れている。欧米型の社会規範に追随しようという卑屈な癖は、一向におさまる気配はない。それにしても、産官学、そしてメディアまでもが、ここまで挙国一致してＳＤＧｓに取り組んでいる国も珍しい。

ＳＤＧｓの中身が間違っているわけではない。「誰一人取り残すことなく、社会課題を解決する」というのは大変結構な目標である。ただ、一つひとつの中身があまりにも当たり前すぎて、拍子抜けするだけだ。ましてや２０３０年という目標まで、あと10年足らず。それでは本質的な課題解決も価値創造も果たせない。

新ＳＤＧｓ

そこで筆者は、「はじめに」でも触れたように、ＳＤＧｓの先をいく「新ＳＤＧｓ」を提唱している（図８）。

Ｓはサステナビリティを指す。ただし、今のＳＤＧｓの17枚のカードは教科書的な「規定演技」にすぎない。それぞれの企業が、独自の高い志に貫かれた18枚目のカードを提唱すべきである。それを筆者は「自由演技」と呼んでいる。

Ｄはデジタルを指す。世の中ではＤＸ旋風が吹き荒れている。しかし、デジタル技術に翻弄

図８　新SDGｓ――資本主義から志本主義へ

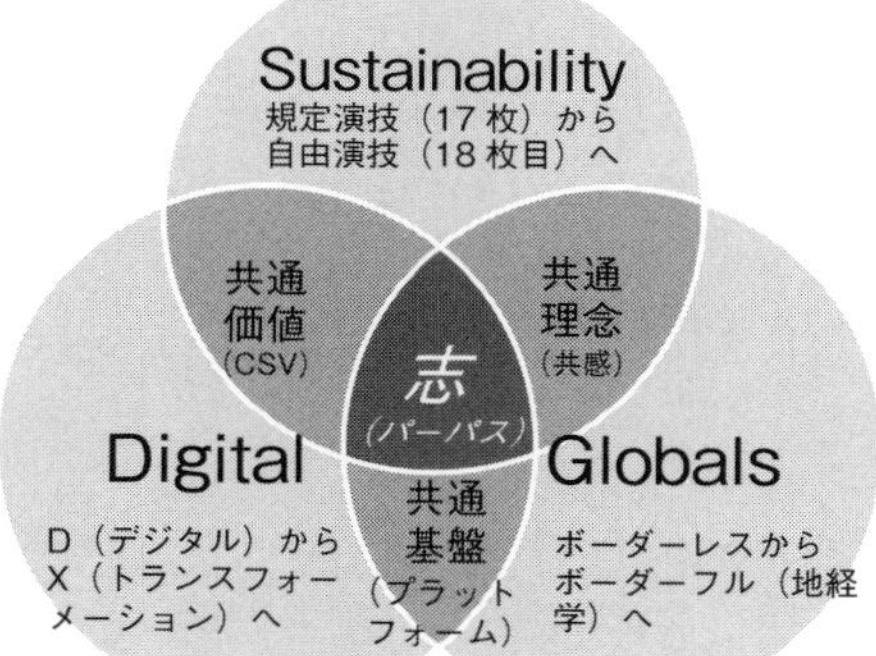

出典：名和高司（『日本経済新聞』「経済教室」2020年5月13日付朝刊）

されてはならない。デジタルそのものはツールであり、コモディティにすぎない。肝となるのはX、すなわちデジタルを駆使していかに企業変革を実践するかである。

Gはグローバルズ。世界全体を視野に入れた経営を目指す。ただし、世界はボーダーレスどころか、ますますボーダーフルに向かっている。米中摩擦やコロナ禍のなかでの水際対策の強化などは、その典型例だ。だからこそ、多極化し、分断されていく世界を、再結合していく必要がある。そこで筆者はグローバルズと、あえて複数形を使うことにしている。

いずれも時間軸は、２０５０年に設定している。

２０５０年には現在77億人の世界人口が、

１００億人に達すると試算されている。もし全員が今のアメリカ人並みの生活水準を求めると、地球が5個必要という試算がある。今の供給や消費を抜本的に構造改革する必要に迫られている。

　またシンギュラリティ、すなわちＡＩが人間の知能を超えるときが、２０４５年にやってくるという未来予測がある。そもそもシンギュラリティがやってくるのかについては、神学論争が絶えない。しかし２０５０年には間違いなく、プレ・シンギュラリティ、すなわち、ＡＩが限りになく人間の知能に近づいてくるはずだ。

　そして２０４９年は、世界の覇権争いが頂点を迎える可能性がある。この年、中国は、建国１００周年を迎え、アメリカを名実ともに抜き去ることを目指している。地政学や地経学はこの２０４９年に向けて、パラダイムシフトを余儀なくされるだろう。

　２０５０年まであと30年足らず。盛守経営が得意とする長期スパンの射程内だ。今のＳＤＧｓが掲げる２０３０年という中途半端な時間軸ではなく、２０５０年からバックキャストして、未来を自らの手で拓いていく必要がある。

　そこで最も重要になるのが、図の中心に座る「志（パーパス＝Purpose）」である。自分たちは、そもそも何のために存在するのか？　誰のために、何をしたいのか？　どのような未来をつくりだしたいのか？　それはなぜか？　稲盛がいう「大義」であり、永守がいう「夢」である。そしてそれこそが、志本経営の中核である。周りのSDGsは、この「志」のデリバティブ（派生物）にすぎない。

本章では、稲盛経営、そして永守経営が志向する未来を、筆者なりに探ってみたい。その際に、この〈新SDGs＋P〉という志本経営のフレームワークが役に立つはずだ。

グリーン革命の旗手

京都は、サステナビリティの世界的聖地である。1997年に京都で開催された国連気候変動枠組条約第3回締約国会議（COP3）で、温暖化に対する国際的な取り組みが初めて合意されたからだ。「京都議定書」、英語では"Kyoto Protocol"と呼ばれているこの取り決めにもとづき、日本政府も1990年比で2008〜12年に6％の温室効果ガスの排出量削減を義務付けられ、無事達成した。

サステナビリティのさまざまな課題のなかでも、温暖化対策、そして脱炭素への取り組みは、現在のところ、1丁目1番地だ。稲盛も永守も、創業当初から、このような環境問題解決を本業として取り組んできた。

京セラはセラミクス、すなわち無機物から有益な製品をつくりだしている。炭素を含む有機物を扱う化学業界とは、素材レベルで根本的に異なっている。

稲盛は大学で有機化学を専攻し、当時、成長株であった化学業界への就職を望んでいた。しかしその希望はかなわず、京都の松風工業に入社、そこでセラミクスと出合う。その後、エレクトロニクス産業が勃興するなかで、ファインセラミクスの旗手として京セラは大成長を遂げた。稲盛は有機化学企業への門を閉ざされたことで、期せずして、「非炭素」の道を歩みだしたのである。

稲盛が脱炭素社会へとより積極的に乗り出したのが、第1次オイルショックの翌年の1975年、京セラ創業16年目のことである。パナソニックやシャープなど5社合弁で、太陽光発電を手掛けるジャパン・ソーラー・エナジーを発足。やがて赤字などを理由に各社が同社から撤退するなかで、京セラだけはその後半世紀近く、この太陽光発電事業を展開し続けている。

その思いを、稲盛は次のように語っている

「私ども京セラは、事業の火を絶やすことなく、営々とこの事業を継続してまいりました。なぜ、そのようなことが可能であったのか。それは一言で言いますなら、この事業には私どもが執念を燃やすべき『大義』があったからです。ソーラーエネルギー事業を開始した動機である、『太陽エネルギーを通じて、人々の幸せに貢献する』ということ、このことをただひたすらに貫いてきたのであり、それは今も全く変わっておりません」（ソーラーエネルギー30周年「感謝の会」記念講演、2005年9月2日）

まさに「はじめに大義ありき」である。

最近は、太陽光発電を核としつつ、幅広い再生エネルギー関連事業に乗り出している。たとえば、分散する太陽光発電システムなどのエネルギーリソースをＩｏＴで集約し、効率よく機能させるＶＰＰ（バーチャル・パワー・プラント：仮想発電所）ソリューション。一般住宅や小規模な発電所などの太陽電池で発電した電源を１つにまとめて使える仕組みを実証実験中である。

すでに事業化したものとして、家庭用燃料電池コージェネレーションシステム「エネファーム ミニ」がある。東京ガスとの協業のもと、世界最小サイズの製品を開発、２０１９年から販売を開始している。

さらには、住宅用蓄電システムも注目される。長寿命で安全性が高く、低コストな世界初のクレイ型リチウムイオン蓄電池を内蔵した住宅用定置型蓄電システムを開発、２０２０年より市場に投入している。

２０２０年９月には、京セラ独自のコンセプトカー「モアイ」を発表した。自動運転時代における車室内空間の重要性に着目し、驚きと快適をもたらす未来のコクピットを独自に開発。そこには空中ディスプレイ、生体にやさしいＬＥＤ照明、触感伝達センサーなど、独自技術がふんだんに盛り込まれている。

京セラグループは、これらの持続的なコミットメントが高く評価され、環境省の「地球温暖化防止活動環境大臣表彰」を２０１０年度から10年連続で受賞している。まさに日本を代表するＧＸ（Green Transformation）企業なのである。

ボーン・グリーン（生まれながらのグリーン）

一方、永守も創業以来、サステナビリティを経営のど真ん中に据えている。日本電産の中核事業であるモーターは、石油由来の動力からの転換を促す。永守は、「産業のコメは、半導体からモーターに変わる」とまで断言する。しかも日本電産が得意とするブラシレスＤＣモーターは、ＡＣモーターに比べて電力消費量は半分だ。

ＩＲセミナーの席上、永守は次のような思いを語った（２０１８年1月24日）。

「そもそも、私は学生時代からブラシレスＤＣモーターの研究をずっとやってきまして、昔、勤めていた会社に対して、『このモーターは将来非常に有望だから、事業にしてはどうか』ということを申し上げたのですが、『そんなものは興味はない』ということでした。そのため、私は『世界のモーターを全部ブラシレスモーターに変えていこう』という遠大な計画にもとづいて、１９７３年に日本電産という会社を創業しました」

今や、日本電産はブラシレスＤＣモーターで、世界市場の約50％を握っている。世界を動かす力の省エネ化を一手に引き受けているといっても過言ではない。

前述したように永守は、このモーター革命が、「5つの大波」という非連続な成長機会をもたらしていると語る。「脱炭素化」「デジタルデータ爆発」「省電力化」「ロボット化」「物流革命」の5つだ。いずれもブラシレスDCモーターが中核技術である。

たとえば、急成長が見込まれるEVは、脱炭素化だけでなく、これらの5つの大波が重なり合った大潮流である。そのなかで日本電産は、モーターだけでなく駆動系全体をシステムとして提供しようと目論んでいる。

クルマの基本性能は「走る・止まる・曲がる」である。それぞれのキーコンポーネントが、トラクションモーター、ブレーキモーター、パワーステアリングモーターだ。日本電産は、この3つを押さえることで、車業界にイノベーションを起こそうとしている。

2021年3月には、台湾の鴻海(ホンハイ)科技集団（フォックスコン・テクノロジー・グループ）の「アンドロイド・カー」開発のパートナーとなることも報道された。スマホではグーグルが開発したフリーOSのアンドロイドを搭載した鴻海製の端末が、世界を席巻している。販売しているのは、小米科技（シャオミ）やオッポなどの中国の新興ファブレスメーカーだ。同じように、EVも日本電産の駆動系を組み込んだ「ホワイトボックスカー」を鴻海が生産し、それを異業種企業や新興プレーヤーが自社ブランドをつけて、市場に参入できるようになる。

垂直統合型の閉鎖的な産業構造を水平分業型のオープンな構造にシフトさせるという、「1００年に一度の産業革命」である。「2030年には車の値段は5分の1になる！」というのが、最近の永守の口癖だ。

あるいは、物流革命のカギを握ると期待されるドローン。日本電産は、すでに産業用ドローン向けモーターを量産している。さらに人を乗せて空を移動する有人ドローン（飛行ロボット）を動かすモーターの開発に着手している。

永守は「近い将来、マイ・ドローンの時代が来る」と豪語する。一人ひとりが自分のドローンで移動するようになるというのだ。そうなると、「マイ・カー」の時代は、今や昔となるかもしれない。

永守は、「日本のイーロン・マスク」と呼ばれる。しかし、脱炭素社会への価値提供という意味では、イーロン・マスクをはるかに凌ぐ。

日本電産は、「グリーンボンド（環境債）」の発行でも他社の追随を許さない。2019年11月には、1000億円という国内最大額を発行し話題を呼んだ。調達した資金は、EVの駆動用モーターの研究開発費や生産設備の投資に充てる。さらに、2021年3月には、国内の事業会社として初めてユーロ建て5億ユーロ（約650億円）のグリーンボンドを発行。小泉進次郎環境相は筆者に、「日本電産こそグリーン革命の旗手」と絶賛していた。

グリーンといえば、永守はグリーンのネクタイしかしない。すでに1000本をはるかに超えるネクタイを持っており、2000本が目標だという。その理由を、次のように答えている。
「私は暦の九星でいうと『二黒土星』にあたり、これは土なんです。土には緑が欠かせないので、緑のネクタイをしています」
「そして、緑には太陽が必要なので、いつも太陽の方角を向いて座ります。今は社長なので、どこに座ってもいいですが、若いサラリーマン時代には、南か東向きにしか座らないので、上司ともめましたよ」（いずれも『プレジデント』2011年10月3日号）
いかにも永守らしいこだわりである。日本電産のコーポレートカラーも、当然グリーン。まさに「Born Green（生まれながらグリーン）」企業である。

18枚目のカード

稲盛と永守は、2030年をターゲットとする現行のSDGsのはるか先の未来を構想している。たとえば稲盛は、「利他の心」の大切さを説き続ける。それは一部の人間がAIの力を借りて神の座に座るという「ホモデウス」型世界観とは、対極をなす。そこに求められるのは倫理であり、共感である。そのためには、現代社会が失いつつある価値観や人生哲学の再構築が必要となる。

一方で永守は、夢にあふれ、活気ある社会の構築を目指し続ける。グローバル経営大学校の1期生の一人が、最終発表で「われわれはモノを動かすMotion企業から、心を動かすeMotion企業になろう」と提唱したとき、永守は大きな喝采を送った。提案したのは、日本電産が数年前に買収したホンダグループ子会社出身の幹部候補生だ。本田宗一郎の魂が、時空を超えて日本電産グループに息づいていることがよくわかる1コマである。

共感、あるいは感動。これこそ、日本が世界に提唱すべきSDGsの「18枚目のカード」である。稲盛と永守は、サステナビリティというテーマにおいても、日本企業が「グローバルスタンダード」という自縄自縛から解き放たれ、自社ならではの「自由演技」を演じることの重要性を教えてくれる。

デジタル時代の申し子

新SDGsの2つ目のD、すなわちデジタルは、京セラも日本電産も創業当初から本業ど真ん中である。この半世紀、コンピュータや通信が指数関数的に成長するなかで、その主要部品メーカーとして、両社とも大躍進を遂げてきた。今なお、アメリカのアップルや台湾の鴻海などの世界の大手デジタル機器メーカーにとって、京セラのセラミクス製品や日本電産の超小型モーターは中核部品である。両社ともまさに「Born Digital（デジタル時代の申し子）」といえよう。

日本企業はデジタル時代の敗者といわれてきた。確かにＧＡＦＡＭ（グーグル、アップル、フェイスブック、アマゾン・ドット・コム、マイクロソフト）やＢＡＴＨ（バイドゥ、アリババグループ、テンセント、ファーウェイ）が展開する巨大プラットフォームビジネスは、アメリカや中国の独壇場だ。

かつて電子立国を目指したはずの垂直統合型半導体事業者（ＩＤＭ：Integrated Device Manufacturer）は、世界市場が台湾の台湾積体電路製造（ＴＳＭＣ）を筆頭とするアジアのファウンドリーと米中のファブレスメーカーに二極化するなかで、総崩れとなった。

しかしそのなかで、前述のような世界の潮流に乗って、勝ち組として成長を続けていったのが、最先端の開発力と生産力を磨き上げ続けた日本の部品や素材メーカーである。アップルの製品の中を見ると、日本メーカーの製品が山のように詰め込まれている。京セラと日本電産は、そのようなデジタル時代の勝ち組の典型である。他にも村田製作所（コンデンサーなど）や日東電工（偏光板）などをはじめ、ダイキン工業（フッ素コーティング剤）や味の素（アミノ酸封止材）など隠れた素材メーカーも多く存在する。

パソコン全盛期に、インテルは「インテル・インサイド」戦略で躍進した。日本のＢ２Ｂ企業も、これまでのように黒子に徹するのではなく、このようなブランド戦略を積極的に展開すれば、ブランド資産をさらに高めることが期待できるはずだ。永守は、筆者の知人のジャーナリスト井上久男とのインタビューのなかで、次のように語っている。

「車を開けたら必ず日本電産のモーターが入っていて、『Intel Inside』ならぬ、『Nidec（日本電産）Inside』というラベルを世界中の車のフロントガラスに貼り付けたい」（『文藝春秋』2020年11月号）

デジタルは今、新しい時代を迎えている。バーチャル（Cyber）がリアル（Physical）と融合するCPS（Cyber Physical System）と呼ばれる世界である。初期のデジタル革命はバーチャルが主戦場となり、GAFAMやBATHが世界を制したかに見える。しかし、CPSの時代になると、リアルに強い日本企業に活躍のチャンスが訪れる。

たとえば、リアルの世界からデータを取り込むためのセンサー。ここではソニーや京セラグループが圧倒的なシェアを握っている。収集されたビッグデータはバーチャルの世界でプロセシング（演算処理）され、その結果をリアルの世界にフィードバックする。しかしリアルの世界を動かすためには、アクチュエーターが不可欠だ。それは日本電産グループなどを含め、日本のメーカーが世界的な競争力を誇る領域である。

さらにプロセシングすら、クラウドコンピューティングなどのバーチャルの世界から、リアルの世界に組み込まれるようになる。エッジ・コンピューティングと呼ばれる新しいパラダイムだ。たとえばファナックが提唱するスマート工場構想では、ロボットに内蔵されたＡＩがシステム全体と協調しながら、自律的に仕事をこなしていく。この組み込み型ＡＩを提供するのは、Preferred Networks（プリファードネットワークス）という日本発の世界的ベンチャー企業である。ここにはＧＡＦＡＭやＢＡＴＨなどの姿はない。

デジタルの先へ

ＩｏＴの先には、ＩｏＥ（Internet of Everything）の時代がやってくるはずだ。たとえばＩｏＨ、すなわちInternet of Human、人間拡張（Augmented Human）の時代とも呼ばれる。例を挙げると、イーロン・マスクは、「ニューラリンク」という新しいベンチャーを立ち上げ、人間の脳にＡＩを埋め込む試みを始めている。

ソニーコンピュータサイエンス研究所の副所長で東京大学教授の暦本純一は、ＩｏＡ（Internet of Abilities）という言葉を好んで使う。イーロン・マスクのように知的能力を強化するだけでなく、身体能力や認知能力など人間のすべての能力を対象とし、障害者や高齢者の能力補正や能力回復も視野に入れている。

まさに「光速エスパー」であり「サイボーグ００９」の世界である。いや、最近の世代にとっては「新世紀エヴァンゲリオン」や「ドラえもん」と言ったほうが通じるかもしれない。いずれにせよ、そんなSFもどきの世界がやってくると、暦本は語る（暦本純一『妄想する頭思考する手』祥伝社、２０２1年）。

再生医療や老化防止などの技術が進展すると、「１００年人生」どころか「１２０年人生」や「１２５年人生」の時代がやってくるともいわれている（デビッド・シンクレア『ＬＩＦＥＳＰＡＮ（ライフスパン）』）。そうなると、いずれ「非金属疲労」を起こす人体の無機的な部位をいかに再生、強化するかが課題となるだろう。そのときに、京セラの人工関節や日本電産の超小型モーターが大いに活躍するはずだ。

京セラ現社長の谷本秀夫は、デジタル時代の自社の強みを次のように語っている。

「他社はハードウエアには力が入っていませんが、われわれはセンサーを含め、それで成長した企業ですので、ハードのものづくりもしっかりしています。システム構築力では少し劣る部分があるのかもしれませんが、足りない部分は外部と協業すればいい。強みを生かせる形なら１００％自分たちでやらなくてもいいのです」（「ダイヤモンド・オンライン」２０１９年8月22日）

永守は、「２０５０年には世界の人口は１００億人、そして５００億台の人間型ロボットが働いている」（「日経ＸＴＥＣＨ」２０１９年11月6日）という未来を語る。そして、１台のロボットには６００個のモーターが内蔵されるという。それだけでも、爆発的な小型モーターの市場が見込まれる。さらに筆者には、「しかも人体にも、超小型モーターが大量に埋め込まれる時代がくるにちがいない」ともこっそり耳打ちしてくれた。まさに人体がサイボーグ化していく世界だ。

そこでは、ＡＩを組み込んだハードウェアが価値の源泉となる。つまり、今もてはやされている「ＰａａＳ（Product-as-a-Service）」から、「ＳａａＰ（Service-as-a-Product）」へとパラダイムシフトが起こるのだ。そうなると、デジタルによる仮想化技術ではなく、それをリアルの世界に実装するハードウェア技術がカギを握る。そうなれば、日本の部品産業や素材産業が、世界を席巻することも決して夢ではない。

永守は今の「ハードウェア軽視の流れは大間違い」だと語る。永守が京都先端科学大学を創設したのは、ハードウェアの世界の殿堂を京都に誘致するためである。

ＡＩやロボットがさらに進化し、シンギュラリティに向かうようになると、「人間とは何か」が改めて真剣に問われるようになるはずだ。『ホモデウス』が予言するようなディストピアに向かわないためには、倫理や正義、利他や共感の価値を高めていかなければならない。そこで注目されるのが、稲盛が語る「大義」であり、永守が語る「夢」である。

デジタル社会が進めば進むほど、「志（パーパス）」こそが企業のよりどころであり、世界市場に向けた最大の通貨となる。盛守流の「志」本主義（パーパシズム）は、デジタルの波にさらわれずに正しく北極星を目指していくために、かけがえのない経営モデルとなるだろう。

多極化時代の経営モデル

新ＳＤＧｓの３つ目のグローバルズについてはどうか？　前述したとおり、京セラも日本電産も、創業当初、閉鎖的な日本市場には受け入れてもらえなかった。そこでどちらも実力本位のアメリカで実績を上げて、日本に逆上陸する道を選んだ。

今でも海外売上高比率は、京セラは全体の３分の２、日本電産は80％を超える。まさに"Born Global"企業である。

第５章で紹介した４つの成功モデルでいえば、どちらも典型的なタイプＷである。経営変革力とオペレーション力という２つを基軸に、グローバル経営を展開している。京セラであれば前者がフィロソフィ、後者がアメーバ経営。日本電産であれば前者が永守３大精神、後者が３Ｑ６Ｓの徹底である。

両社にとって残された課題は、２つの成長エンジンの構築である。すなわち市場開拓力（マーケティング）と収益モデル構築力（イノベーション）をいかに方程式（アルゴリズム）化して、グローバルに実装していくか。しかも、常に日本発ではなく、欧米や中国・インドなどの拠点発の多元的モデルへといかに移行できるかである。これは、先進的なグローバル企業に共通の課題でもある。

世界市場は新型コロナや米中摩擦などを受けて、分断と多極化が進みつつある。だからこそ、いかにこれらの市場を再結合し、真にボーダーレスな経営モデルを進化させ続けられるかが勝負を握る。そのためには、現場を熟知しつつ、世界的視野に立てるグローバルな経営者候補の育成がカギとなる。たとえば日本電産は、先述したように、自社グループ独自のグローバル経営大学校などの仕組みを通じて、そのような次世代人財の育成に余念がない。

中国とともに

盛守経営のもう1つの特徴が、中国でのインサイダー化である。稲盛経営が中国でブームを巻き起こしていることは、先述したとおりだ。稲盛の著書は発行数の半分以上が海外で売り出され、その9割以上が中国だという。

尖閣諸島問題をきっかけに反日暴動が起きたとき、中国の書店からは日本関連の書籍が一斉に撤去されたが、『生き方』だけは棚に残った（『日本経済新聞』2013年2月19日付朝刊）。同書は日本では130万部を超える超ベストセラーだが、中国版は300万部を突破したという。盛和塾も2019年時点で中国に37塾あり、7000名が在籍。同年末、日本の盛和塾が解散した後も、中国では継続している。塾生の多くは中国企業のオーナー経営者だ。

中国企業の若い経営者のなかにも、稲盛流経営の信者は多い。ＢＡＴＨを追うＴＭＤ（Touitao：今日頭条、Meituan Dianping：美団点評、DiDi：滴滴出行）世代だ。Toutiao は現在、北京字節跳動科技（バイトダンス）という社名に変更、TikTok（ティックトック）を運営している。同社を２０１２年に20代で創業した張一鳴もその一人だ。「心のあり方」を常に問いかける姿勢や「仕事に励むことは修行」という教えに、共感を覚えたという。

張に『生き方』を読むようにすすめたのが、口コミサイトを運営する現・Meituan（美団）の王興ＣＥＯだ。王も『生き方』から経営の真髄を学んだという。「企業家にとって最も難しいのは時代にいかに順応するかで、人にとって最も重要なのは、いかに正確な道を歩くかだと考えるようになった」（「プレジデントオンライン」２０２０年9月25日）と語っている。

永守は、中国市場に強い期待を寄せる。「中国は必ず伸びる。世界一のＥＶメーカーは中国から出てくる」（「Ｍ＆Ａオンライン」２０１９年4月18日）と語る。コロナ禍の真っ最中に、１０００億円をかけてＥＶ用駆動モーター工場新設に着手したことは、前述のとおりだ。

永守が２０２０年に日産自動車から日本電産社長に抜擢した関潤は、２０１４年から4年間、日産専務時代に、中国マネジメントコミッティ担当と東風汽車の総裁を兼任した中国ビジネスのプロだ。その関は、「ここでひるむと先で伸びることはできない。将来の成長に使うべきカネは使う」と語る。中国を中心に駆動モーターで「２０２５年には世界市場の25％を握る」と

意気込む（『日本経済新聞』２０２０年10月27日付朝刊）。

２０２1年に入っても、関の鼻息は荒い。

「車載を含め、中国向け事業が飛び抜けて好調だ。特定地域に偏らない経営方針だが、家電・商業・産業用製品の中国への入り込みが足りない。携帯電話の振動モーターから、原子力発電所向けまで製品は幅広く、拡大余地は十分にある。中国は風力発電も積極的。関連モーターなども拡大できる」（『日刊工業新聞』２０２1年1月15日付）

前述したように、２０２1年6月、永守は関に日本電産ＣＥＯのバトンを預けた。中国を起点の1つとした「Globals 経営３・０」が加速することになるだろう。

永守の鼻息はさらに荒い。２０２０年10月の決算発表会では、「この（ＥＶ用駆動モーター）事業は50年計画。シェア45％。1兆円の利益を出すような事業（にする）」と力説した。もちろん中国だけに集中しているわけではない。２０００億円を投じて、欧州のセルビアにもＥＶ用駆動モーター工場を新設する。中国と欧州というガソリン車からＥＶへと大きく舵を切る世界の2大市場で、アクセルを踏み込んでいるのだ。「リスク（＝変化）こそ最大のチャンス」という永守経営の本領がいかんなく発揮されている。

グローバル経済はリスクだらけだ。とりわけ、米中の覇権争いは最大のリスクファクターだ。どちらに加担しても、失うものは大きい。

かつて孟子は、覇道ではなく王道を歩むべきだと説いた。前者が権力で治めようとするのに対して、後者は徳で治める道である。稲盛は、この教えを今こそ学び直すべきだと説く。

「私は、やはり人間性、人間の徳をもって相手の信頼と尊敬を勝ち取り、人を治めていかなければならないと思っています」(「稲盛和夫 OFFICIAL SITE」)

サステナビリティは、世界全体の課題である。デジタルに国境はない。グローバル経済も、分断から再統合に大きく舵を切り直さなければならない。そのときに日本は、西洋流の覇道に与することなく、東洋流の王道の大切さを世界に示すことができるかどうか、問われているのである。

京都から世界へ

稲盛は一度だけ、ダボス会議のパブリックセッションに登壇したことがある。2013年1月のことだ。同会議の主催者であるクラウス・シュワブが『生き方』の英語版を読んで感銘を受け、ラブコールを送ってきたためだ。

席上、稲盛は欧米型資本主義を痛烈に批判した。会議の常連である世界の政財界の要人たちは、さぞや面食らったに違いない。聴衆の反応は、稲盛にとっても期待外れだった。帰国後、稲盛はこう漏らした。

「あそこは、お金持ちで目立ちたがりの人たちばかり。あんまし意味のある集まりではありませんな」（『日本経済新聞』２０１３年2月19日付朝刊）

しかしその後、ダボス会議では毎年「資本主義の終焉」が中心議題となっていった。２０２０年には、株主至上主義からマルチステークホルダー主義への転換を提唱。そして２０２１年の主題は"Great Reset"だ。コロナショックや気候変動、格差拡大といった危機からより良い世界を取り戻すためには、その場しのぎの措置ではなく、まったく新しい経済社会システムを構築しなければならないと説く。

世界はようやく、盛守経営に代表される「志本主義」経営思想に近づきつつある。ダボス会議に集まる資本主義のエスタブリッシュメントたちが、本当に宗旨替えできるかどうかはやや疑わしいが、前述したように、中国を含めて、世界の先進的な企業には、日本から学ぼうとする経営者が少なくない。

たとえば、セールスフォース・ドットコムの創業者マーク・ベニオフ。日本ではあまり知られていないが、『ハーバード・ビジネス・レビュー』で「世界で最も尊敬される企業家」の第2位にランキングされている。ベニオフはダボス会議でも常連で、盟友の櫻田謙悟（ＳＯＭＰＯホールディングスグループＣＥＯ、経済同友会代表幹事）ともタイアップして、持続可能な成長に向けて論陣を張る。

第3賞でも述べたセールスフォース・ドットコムは、「Ohana」を企業理念としている。ハワイ語で家族を意味する〝Ohana〟だ。血縁や世代を超えた広い概念である。世界の人々、そして未来の子どもたちは、皆「大家族」のメンバーだという考え方だ。「個」を重視してきた西欧の近代思想と訣別し、「共」を重視する東洋思想を取り入れようとしている。

そのベニオフは、来日するたびに必ず京都を訪れる。お気に入りは龍安寺だ。ベニオフは語る。

「石庭では15の石があります。しかし、座って見ると石が重なって14しか見ることができません。そこから学べることは、心の目で全てのことが見えるということです。そのためには心と一体にならないといけません。龍安寺を訪れることで、基本に立ち返り、初心に戻らされます」(『フォーブス ジャパン』2019年4月12号)

初心に戻れ、とは禅の教えである。初心に戻ることによって、「本来」の自分を取り戻し、そこから「未来」が見えてくる。盛守経営の基本的な時間軸である。

Self-as-We

では、空間軸とは何か? 第1章で触れたように、京都は棲み分け理論を生み、そして共生の思想が根付いている。京都大学の哲学者・出口康夫は、「われわれとしての自己観(Self-as-

We)」を提唱している。西洋的な「個としての自己観」の対極で、東アジアの全体論的自己の思想、そして西田哲学の流れを汲む新新京都学派だ。

サステナビリティを実践するためには、「利己的欲望」から「利他的仁愛」へと価値観を大きくシフトする必要がある。デジタルであらゆるものがつながる時代においても、Me-ism から We-ism への転換が求められる。出口は次のように語る。

「現代の情報環境では、ＡＩやロボットも『われわれ』の一部としてのエージェントになりえます。では、それらをどう捉え、相互作用をしていけばいいのか。さらには、サイバー空間では、『わたし』の分身と言えるようなものも作り出すことができますが、それも『われわれ』の一部であると言えるでしょう。これら情報通信技術がもたらした新しい状況における倫理や存在論を新しい哲学の視点から議論していく必要があります」（ＮＴＴ研究所発 触感コンテンツ専門誌『ふるえ』２０２０年2月号）

２０１7年にノーベル文学賞を受賞したカズオ・イシグロの最新作『クララとお日さま』（早川書房、２０２1年）が、世界中で話題を呼んでいる。主人公のクララは、太陽光をエネルギー源とするＡＦ（Artificial Friend：人工親友）。まさにデジタルとサステナビリティが融合した世界だ。そのクララと人間の少女や少年との交歓が、本書の主題となっている。

クララはおそらく、京セラのセラミクスや太陽光システム、日本電産の超小型モーターやアクチュエーターでできているに違いないと、ふと想像してしまう。しかし、イシグロは、そんな野暮な憶測を次のインタビューコメントで吹き飛ばす。

「小説に登場する科学者がこんなことを言います。『人間の肉体のどこを探っても（魂なんてものは）何も見つからなかった。だから、愛する人の脳からすべてのデータを発掘して機械に移したら、それが愛する人の替わりになるよ』と。古風な私は納得できません。『君は間違った場所を探しているんじゃないか』と言い返したくなる。魂といわれるものはおそらく、その人を大切に思う周りの人々の感情の中にこそ宿っているのではないでしょうか。これは科学者からしてみれば、あまり優れた思いつきではないかもしれない。でも、私は（小説家として）そのように答えたい」（『日本経済新聞』２０２１年3月2日付朝刊）

まさに〝Self-as-We〟そのものである。それを日本生まれのイギリス人のカズオ・イシグロが英語で発信することで、世界に共感を生み出している。〝Self-as-We〟は政治経済的な分断を超えて、Globals の新しい基軸となりうる思想だといえよう。

筆者が「新ＳＤＧｓ」と呼ぶ新常態を拓くうえで、盛守経営、その底流に流れる京都、そして日本ならではの価値観は、最良の羅針盤となるはずである。サステナビリティ、デジタル、グローバルズという3つの世界的潮流。そして、それら3つを束ねるのが「志（パーパス）」

だ。

この志にもとづく「志本経営」こそ、盛守経営の神髄である。

日本は、グローバルスタンダードという卑屈な幻想を追い求めて、失われた30年間を迷走し続けた。この平成の失敗を繰り返さないためにも、日本企業の経営者には、盛守経営の本質を学び、次世代の経営モデルとして、世界に力強く発信していってもらいたい。

資本主義の先に「志本主義」の時代が必ず来る。稲盛や永守に続き、志本経営を体得した日本企業が、世界をリードする日が来ることを、心待ちにしたい。

おわりに

ここ数年、京都で過ごす時間が増えた。

今年の京都の夏は例年より早く訪れ、この土地特有の風物詩を奏でている。昨年同様、外国人観光客が少ないのはちょっと寂しいが、京都らしい落ち着いた風情を満喫するには、ちょうどいいのかもしれない。禅寺の庭を散策していると、周りも自分も無に帰すひとときが訪れる。まさにマインドフルな境地である。

本書では、この古都を本拠地としつつ、明日の世界を切り拓いてきた二人の経営者を取り上げている。稲盛和夫は今年数えで卒寿（90歳）、永守重信は喜寿（77歳）。とはいえ、人生125年説が唱えられるなか、京都の夏の宵のように熱い心のエネルギーを、周りに放熱し続けている。

本書は、京都、日本、そして世界を代表するこの二人の経営者のエネルギーの実態と正体を、筆者独自のフィルターを通して編集し、読者にお伝えすることを企図したものである。

伝説の経営者に筆者が正面から取り組んだのは、実は本書が2冊目である。

1冊目は、『評伝　松下幸之助』（国際商業出版、1976年）だ。著者は元朝日新聞編集委員で経済評論家の名和太郎、筆者の亡き父である。当時、大学に入学したばかりの筆者は、下調べや原稿書きを手伝った。

その経験のおかげで、松下幸之助という稀代の経営者の半生と経営哲学を、一から学ぶことができた。それは半世紀近くたった今でも、筆者にとって貴重な財産となっている。

稲盛和夫は、筆者が私淑するもう一人の経営者だ。お目にかかったことは1度もないが、数々の書籍やDVDを通じて、筆者の心の師でありつづけた。JAL再生時の稲盛のエピソードの数々は、大西賢社長（当時）や、CA出身で客室本部長（当時）だった大川順子前副会長からうかがう機会もあった。今回、本書執筆にあたって稲盛の経営思想に深く触れ、改めてその卓見に圧倒された。

本書のもう一人の主人公の永守重信は、ご一緒する機会が多い。文中でも触れたように、2016年から、日本電産のグローバル経営大学校の立ち上げと運営を手伝わさせていただいている。2021年4月からは、永守理事長が率いる京都先端科学大学の客員教授も務めている。

筆者が10年近く社外取締役を務めているファーストリテイリング会長兼社長の柳井正とともに、永守は筆者が最も畏敬する現役経営者である。いずれ機会があれば、『永守と柳井』などのタイトルでも本を書いてみたいと密かに企んでいる。

永守は筆者にとって、まさに「生身」で等身大の経営者である。しかしその経営哲学とリーダーシップの非凡さは、稲盛と比肩するといっても過言ではない。京都一、日本一、そして世界一を目指して精進し続けた二人の軌跡が、見事に交錯し続けていることも大変興味深い。

いつしか筆者は、この二人が織りなす経営思想を題材にして本を書いてみたいという思いに駆られるようになった。稲盛は筆者とほぼ二回り、永守は一回り違う大先達であることを鑑みれば、何とも無謀な企てだったかもしれない。「おわりに」を書いているこの時点で、実はまだ二人に本書の出版についてご相談していないことも告白しなければならない。事実関係や発言の中身などはできるだけ正確を期したつもりだが、間違いや誤解があれば、ひとえに筆者が責を負うところである。

京都発グローバル企業の創業者というだけではなく、二人には共通点が少なくない。たとえば、二人とも中村天風の思想的影響をものの見事に受けている。天風はあまり一般には知られていないが、昭和を代表する思想家の一人で、松下幸之助をはじめ、政財界やスポーツ界にも信奉者が多いことは、本書のなかでも紹介したとおりだ。最近では大リーガーとして活躍中の大谷翔平も、天風の『運命を拓く』（講談社文庫、１９９８年）を読んで強く感銘を受けたという。

あえて稲盛と永守の違いを挙げれば、稲盛は天風の仏教や禅に通じる深淵な思想に強く影響を受けている。一方の永守は、天風の超ポジティブ思考と歯に衣を着せぬ迫力ある話法を受け継いでいる。しかし天風の教えが力強く脈打っている点は共通しており、盛守経営を通底している。

またたとえば、両者とも「ブラック」とも「昭和」とも揶揄されやすい。「働くことの尊さ」を説き、ハードワークを奨励し、社員に対して徹底的に厳しく指導するからだ。

しかし、まず「ブラック」という言葉を不用意に使った時点で、今の時代は即刻レッドカードだ。反社会的と言いたいのなら、稲盛から、社員を甘やかせて成長させる義務を怠っている経営者こそ、反社会的だというそしりを受けるだろう。また永守からは、「不況を口実に社員を馘にしている企業こそ、反社会的勢力だ」と切り返されるのがおちだ。

「昭和」に至っては、むしろ褒め言葉としてとらえるべきである。平成の30年間、欧米流の経営手法を小賢しく取り込んだ日本企業は、ことごとく失速していったからである。株主にへつらい、顧客にへつらい、社員にへつらう平成風の緩い経営には未来はない。このような悪しき潮流に背を向け、昭和の勝ちパターンを進化させつづけてきた盛守経営こそ、明日を拓く成功モデルであることは、平成30年間の両者の実績が如実に証明している。

それでもなお、日本の経営者は性懲りもなく、舶来型の経営手法を取り入れることに余念がない。たとえば、「両利きの経営」。深化と探索は別立てで取り組めという処方箋は、当のアメリカですら失敗の烙印が押されている。稲盛も永守も、一意専心に本業を深掘りすることで、深化と進化を同時に実現してきた。永守はこれを「井戸掘り経営」と呼ぶ。両者ともニーチェの「汝の足下を掘れ、そこに泉あり」という教えを、ブレずに実践している。

あるいは、「ダイバーシティ&インクルージョン」。同質的な日本企業に足りないのはダイバーシティだとばかりに、まずは女性や外国人従業員の数合わせに走る。しかし、これも「死に至る病」だ。「インクルージョン」、すなわち異質なものを束ねる求心力のない企業に未来はない。いくら異質な才能を呼び込んでも定着しないからだ。アクセンチュアはこれを、回転ドア型組織と呼ぶ。同社は「インクルージョン&ダイバーシティ」と、インクルージョンが先決だと唱える。

稲盛も永守も、フィロソフィや経営精神を組織の隅々に徹底的に刷り込む。それが求心力となって、世界中の異質な才能を活用することができることを熟知しているからだ。

そして極めつきはESGとSDGsだ。それらはいずれも当たり前の話にすぎない。いわば規定演技だ。いくら振りかざしたところで、持続可能な成長にも企業価値の向上にもつながらない。

稲盛も永守も、このような浮ついた外来語は一切使わない。なぜなら、ESGなどには創業当初から本業として取り組んでいるからである。そして、ＳＤＧｓのはるか先に照準を合わせているからである。

超長期を見極めつつ、今日の経営に「ど真剣」（稲盛）に取り組む。このような遠近複眼経営こそ、盛守経営の神髄である。日本企業は、この二人に倣って、中期計画病という有害無益な国民病を払拭する必要がある。

筆者は前著『経営改革大全』で、日本企業を壊す１００の誤解を暴いた。そして、その裏側、あるいはその先に潜む１００の真説を提唱した。筆者はそれを「志本経営」と名付けた。

本書では、志本経営を先導する二人の経営者に焦点を当てることで、未来を拓く経営の実際を具体的に描くことを心がけた。その意味では、本書は前著の姉妹版ともいうべきものである。なお、前著同様、本書の企画の段階から、日経ＢＰ日本経済新聞出版本部の堀口祐介さんには大変お世話になった。紙面を借りて、お礼を申し上げたい。

新型コロナを超えて、新常態へと大きく舵を切るときに来ている。平成の惰眠から目覚め、今こそ稲盛や永守に倣って、志本経営を実践していこうではないか。稲盛や永守同様、志本経営を次世代経営モデルとして高らかに掲げることで、世界を正しい未来に導いていくことができるはずだ。

【著者紹介】

名和高司（なわ・たかし）

一橋大学ビジネススクール国際企業戦略専攻客員教授

京都先端科学大学客員教授

東京大学法学部卒業、ハーバード・ビジネススクール修士（ベーカースカラー授与）。三菱商事（東京、ニューヨーク）に約10年間勤務。2010年まで、マッキンゼー・アンド・カンパニーのディレクターとして、約20年間コンサルティングに従事。自動車・製造業分野におけるアジア地域ヘッド、ハイテク・通信分野における日本支社ヘッドを歴任。日本、アジア、アメリカなどを舞台に、多様な業界において、次世代成長戦略、全社構造改革などのプロジェクトに幅広く従事。2010年６月に一橋大学大学院特任教授に就任。同校においては、「問題解決」「イノベーション戦略」「デジタルトランスフォーメーション戦略」「コーポレートガバナンス」などを担当。

2014年より、30社近くの日本企業の次世代リーダーを交えたCSVフォーラムを主宰。デンソー（2019年６月まで）、ファーストリテイリング、味の素、NEC キャピタルソリューション、SOMPO ホールディングス（いずれも現在も）の社外取締役を兼任。

主な著書に『学習優位の経営』（ダイヤモンド社、2010年）『「失われた20年の勝ち組企業」100社の成功法則』（PHP 研究所、2013年）『CSV 経営戦略』（東洋経済新報社、2015年）『成長企業の法則』（ディスカヴァー・トゥエンティワン、2016年）『コンサルを超える問題解決と価値創造の全技法』（ディスカヴァー・トゥエンティワン、2018年）『企業変革の教科書』（東洋経済新報社、2018年）『経営改革大全』（日本経済新聞出版、2020年）『パーパス経営』（東洋経済新報社、2021年）などがある。

稲盛と永守

2021年8月20日　1版1刷
2022年2月8日　　5刷

著者　名和 高司

発行者　白石 賢

発行　日経BP
日本経済新聞出版本部
発売　日経BPマーケティング
東京都港区虎ノ門4-3-12　〒105-8308

装丁・水戸部功
印刷・製本　シナノ印刷
DTP　CAPS
ISBN978-4-532-32421-6 Printed in Japan